歴史はなぜ必要なのか

歴史はなぜ必要なのか

「脱歴史時代」へのメッセージ

編
南塚信吾
小谷汪之
木畑洋一

庵逧由香
高橋博子
三宅明正
明田川融
斎藤 修
永島 剛

岩波書店

はじめに

今日、老若を問わず、「今の生活ができていればいいではないか」「今がよければそれでいいではないか」という考えが広がっている。「過去」や「未来」のことは考える必要がないというわけである。現在は「脱歴史時代」なのである。ただ、この「脱歴史時代」において「脱」の対象となる「歴史」は、「過去」の面白いエピソードに対する興味や、「過去」の知らない出来事への興味に由来する歴史や、政治に動員される歴史とは違う。そういう意味の「歴史好き」や「歴史動員」は今日、ますます広がっている。ここでいう「歴史」とは、最低限、「過去」を大事にして、「今」や「自分」との関係で、そこから教訓や示唆を得ようという姿勢を指す。そういう姿勢が今日なくなりつつあるということである。

わたしたちが「今」なにをするか、あるいはしないかによって、「未来」が決まってくるのであり、また、わたしたちの「今」は「過去」の成果や結果として出来上がっているのであって、よい点も悪い点も、否応なく「過去」に制約されているのである。つまり、「今」を通して「過去」は「未来」につながっているのである。わたしたちは「歴史を生きている」のであり、むしろ「脱歴史」は容易ではないと言うことさえできる。

「脱歴史時代」の今こそ、歴史はなぜ必要なのかを考えてみるいい機会なのではないだろうか。わたしたちを含め、歴史の研究と教育に携わる専門家は、「歴史はなぜ必要なのか」という、この基本的な問題を自明のものとして向き合わないまま、歴史の考え方、学び方を論じてきた傾向がある。いまは、立ち止まって、歴史はなぜ必要なのかを問う必要があると考える。

＊＊＊

本書では、わたしたちに身近な問題を取り上げて、それがいかに歴史の中で、考えなければならないものなのかを、できるだけ平易に説いて、歴史の必要性を明らかにしたい。そうすることによって、すでに歴史の必要性を認識している人には、それを実感してもらい、「歴史なんか」と言っている人には、「おやおや」と感じてもらいたい。

本書の柱となる論点は、以下の三点である。

（1）「わたしも社会も歴史的産物である」ということ。現在は過去の上に成り立っている、言い換えれば現在は過去の遺産の上にある。だから、過去からいろいろと教訓を得る必要があるし、過去から現在に課せられた「制約」があるということを自覚する必要がある。

（2）「歴史は逃れられないもの」であるということ。過去から教訓を得、現在に課せられた「制約」を自覚するためには、「見たくない過去」も見なければならないのである。

（3）「現在は過去にも未来にもつながっている」ということ。現在においてわたしたちが歴史の一ページをつくるとき、未来を考えない現在は行き詰まる。その未来のために現在においてなにができるかは、過去からの「制約」のもとにあって、何でも自由にできるわけではない。だから、過去と現在と未来は切り離せない。

本書の構成はこの三点に沿っている。要するに、「人はだれでも歴史を生きている」のだから、「歴史は必要なのだ」ということを示すのが狙いである。

二〇二二年六月三〇日

編者　南塚信吾・小谷汪之・木畑洋一

目次

目　次

目　次

序章　「今がよければそれでいいのさ」なのか

南塚信吾

はじめに

「歴史はなぜ必要なのか」という問いは、おそらく二一世紀になってからあらためて発せられるようになったもので、それまでは「歴史はどのように学ぶのか」とか「どういう歴史が必要なのか」といった問いが中心であった。そのような変化はどのように、どうして起きたのか。それは「脱歴史時代」がやってきたからである。ここでは、歴史研究や歴史教育に携わる人々の議論を見ながら、「脱歴史」という事態はどのように進んできたのか、なぜ「脱歴史時代」になったのか、そして今「歴史」はなぜ必要だと言われているのかを概観しておきたい。なお本章は、欧米と日本を念頭に考えているが、途上国では違った状況があるのかもしれないことをあらかじめお断りしておきたい。

1　「脱歴史」はどのように進んできたのか

二一世紀になってから、歴史が無視あるいは軽視されていることへの懸念は、世界中で問題になっている。ちょっとインターネットを見てみるだけでも二〇〇〇年前後から、「なぜ歴史は大切なのか」「なぜ歴史は重要なのか」といった記事が多数出ている。この「歴史離れ」はどのように注目されてきたのだろうか。

一九九八年、アメリカの歴史家ピーター・N・スターンズは、アメリカ歴史学会(AHA)のウェブサイトに、「なぜ歴史を学ぶのか」という小論を載せた。かれは、人々が、「われわれは現在に生きていて、未来について構想し未来を気にかけている。だが、歴史は過去を研究するものではないか。われわれは現在を生きるのに精いっぱいで、しかも未来を気にしているとき、なぜ昔のことを気にしなければならないのか」と言っていると指摘している(Sternes, "Why Study History?")。このあたりから、歴史の必要性を問う動きが始まっていると言ってよい。歴史教育の立場から危機感を吐露しているアメリカのサム・ワインバーグも、二〇〇一年の著書の中で、現在問われているのは、「どの歴史がより良いか」なのではなくて、「なぜ私たちは歴史を学ぶのか」ということであると言っている(ワインバーグ『歴史的思考』三三―三六頁)。

イギリスの歴史家J・トシュは二〇〇八年にこう述べている。今日、人々は、世界があまりに速く動いているので、歴史は合理的な議論(社会的言説)をほとんど提供しえなくなっている、と考えている。そして、つぎつぎと複雑な問題が人々の前に突きつけられるが、その際、なぜそれらの問題が現在の形をとるに至ったのかということについての十分な説明もないし、過去の記録から何らかのヒントが得られるのではないかということが考えられることもない。一方、歴史家の側でも、自分の学者としての誠実さを守ろうとして、現在の問題に過度に関与することを避けている。われわれの周りの世界を理解するためには、日々の変化があまりにも速い。容赦のない現在主義(プレゼンティズム)が表面的な分析を促進している。そのために、すべての経験が時間の流れの中で生じたという深い現実をあいまいにしてしまっている、と(Tosh, *Why History Matters*, pp. viii–ix)。同じくイギリスの歴史家P・J・コーフィールドも、「だれもが歴史を生きている――なぜ歴史は大切なのか」(二〇〇八年)という記事で、近年、歴史の効用とは何なのか、「過去に起こったことはいったいなぜ重要なのか」と聞かれてしまう、と嘆いている(Corfield, "All people are living histories")。

日本では、二〇〇七年に、加藤周一が日本文化における「現在主義」に警告を発していた。かれは、「日本社会においては(中略)現在の生活を円滑にするために、過去に拘《こだわ》らぬことを理想とする傾向が著しい」と言う。つまり「日本社会には(中略)過去は水に流し、未来はその時の風向きに任せ、現在に生きる強い傾向がある。現在の出来事の意味は、過去の歴史および未来の目標との関係において定義されるのではなく、歴史や目標から独立に、それ自身として決定される」のである。かくて「日本では人々が「今＝ここ」に生きているようにみえる」(加藤『日本文化における時間と空間』一―四、二三三頁)。加藤は、こういう「現在主義」を指摘して、二一世紀初頭における「脱歴史」を警告していたのである。同じころ、二〇〇九年に、例えば歴史家の桃木至朗は、日本社会では、一般向けの歴史書は大量に出版され、大河ドラマや歴史マンガやアニメが氾濫して、一見歴史がもてはやされているようだが、実は「歴史離れ」が着々と進んでいるとしか思えないと深い懸念を表明していた(桃木『わかる歴史 面白い歴史 役に立つ歴史』一九―二〇頁)。

だが、二〇一六年前後から新たな事態が生じた。この年に行われたイギリスのEU離脱を問う国民投票やアメリカの大統領選挙あたりを境に「フェイクニュース」が広がり始めた。この時期以後、歴史はますます苦境に立たされることになった。

やや早く二〇一四年に、アメリカの歴史家リン・ハントは、『歴史はなぜ重要なのか』(邦訳は『なぜ歴史を学ぶのか』)という本で、独自の角度から事態を見ていた。彼女によれば、歴史はいらないどころか、むしろさまざまに「争点化」されてもてはやされていると言う。歴史に関する「嘘」(フェイクニュース)があふれ、歴史についての記念碑が破壊されたり、歴史教科書が論争の種になったり、歴史に関する記憶が論争を生んだり、人々の集合的記憶が掘り崩されたりしているではないかというわけである。途上国を含め、世界のどこでも、「歴史に対する公衆の欲求は、かつてないほどに大きくなっている」。例えば、回想録、自伝、映画、テレビ・シリーズ、ビデオゲーム、歴史博物館、歴史遺跡、各種の歴史団体、記念碑、建築物、戦場などを見ればわかる。だから「歴史への公衆の関心は単に増大しただけではなく、天井知らずのものになってきている」のである。しかし、そこでは確実な「歴史的事実」に基づいた歴史が必要だとされているのではないと言う(ハント『なぜ歴史を学ぶのか』二二―二六頁)。一見歴史がもてはやされているようだが、リン・ハント的に言えば、「注目を集める」ような歴史、あるいは「関心を持つように動員」された歴史、「操作された」歴史が、「もてはやされ」「あふれ」ているだけなのである。「操作された」歴史がもてはやされていて、「正確な歴史的出来事や歴史的経緯」が無視されているという意味では、「脱歴史」なのである。

その後も深刻な危機感が訴えられ続けた。例えば、二〇一八年にアメリカの歴史教育者T・R・アイゼルハートは、教育の現場で「歴史がなぜ大切なのか」ということが問われるようになったのは比較的最近のことなのだ、これまでこういう問題が出されることはなく、当たり前のことだった、過去のあらゆる文化や歴史を学ぶことに異論を唱えられることはなかったと言う(Isselhardt, "Why History Is Important")。

以上のように、二一世紀には激動する世界情勢の中で、「脱歴史時代」が進行してきた。では、改めて、なぜこういう「脱歴史時代」になったのかを考えてみよう。

2　なぜ「脱歴史時代」になったのか

ポスト「冷戦」

前記のトシュは、なぜ「脱歴史時代」になったのかを、「冷戦」後の時代状況から説明している。トシュの二〇〇八年の議論によれば、すでに第一次世界大戦以後に、「脱歴史時代」が始まっている。その理由は、一つには、視覚芸術や文学におけるモダニズムが、過去の遺産に束縛されない新しい形式を求めたこと、もう一つには、社会全体でも、技術進歩が速まり、新しいものが近代と考えられ、過去を見る必要がなくなったことである。だが、最近は、新たな要因が現れていると言う。

一つには、グローバリゼーションとIT革命によって、第一次世界大戦以後の傾向は加速され、歴史的背景のない進歩が信仰され、過去を見る必要がますますなくなった。もう一つには、「冷戦」後の政治状況である。第二次世界大戦後の「冷戦」の間、東西両陣営は歴史観を共有していたが、「冷戦」が終わると状況は変わった。「冷戦」の終結によって、人々は、記憶を遡るような歴史的展望にこだわる必要がますますなくなった。過去は、利用すべき遺産ではなくて、逃れるべき重荷になったと言うのである(Tosh, *Why History Matters*, pp. 8-9)。

同じ時期、日本でも桃木が「歴史離れ」が着々と進んでいる理由を次の三点に求めている。それは、①高校までの経験から歴史は「暗記科目」だという基本イメージができていることに加えて、②歴史は「現代に関係ない」「役に立たない」という否定的イメージが広がっていること(これは実用性に価値を置くアメリカ的思考様式に結びついている)、そして、③「極端な政治的歴史観の横行が、歴史を論ずることへの忌避を強めている」ことであると言う(桃木『わかる歴史 面白い歴史 役に立つ歴史』一九―二〇頁)。ここには日本特有の事情も入っているが、この発言はこの時代の世界各地での危機感の日本的表れなのである。「極端な政治的歴史観の横行」というのは、トシュの言う過去が「逃れるべき重荷になった」ということの表れであった。

「冷戦」の終結(一九八九―九一年)と湾岸戦争(一九九一年)、そして二〇〇一年の「九・一一」同時多発テロ以後の世界では、イスラームの世界が大きく立ち現れ、グローバリゼーションとIT革命が急速に進行した。時代があまりに速く動く中で人々は、現在を生きるのに精いっぱいで、目先の問題の処理に追われ、歴史などを気にするゆとりがなくなった。しかも、「冷戦」期の思考の枠組みが崩れ、記憶を遡るような歴史的展望にこだわる必要はなくなり、過去は「逃れるべき重荷になった」。こうして「脱歴史時代」はやってきたのである。これは「冷戦」終結後の政治状況からの説明であるが、もう少し根深い文化的背景があるのではなかろうか。それは「ポストモダン」の影響である。

ポストモダン

一九八〇年代に「ポストモダン」の思想運動が広がった。これは一九七〇年代に「近代」のさまざまな思想の様式を問い直す動きとして始まった。ポストモダンは、理性の広がりによってもたらされた「大きな物語」や「進歩」といった近代合理主義の考えを批判した(McGuigan, *Modernity and Postmodern Culture*, pp. 1-2)。ポストモダンはすべての「中心」を相対化しようとする「脱中心」の思想を持つ。「脱中心」は空間的にも時間的にも求められ、空間的には国の内外の区別など、時間的には現在と過去の区別などが相対化された。またポストモダンは「事実 fact」や「真実 truth」という考えを徹底的に批判した(Southgate, *Postmodernism in History*, pp. 11-19)。この「脱中心」や「事実」「真実」への疑問は、歴史に対して重大な挑戦を突き付けたのである。

このようなポストモダンの中心的柱となったのが一九六〇—七〇年代に提唱された「言語論的転回」である。これは、言語学者のF・ソシュールの再評価から始まった。かれは二〇世紀の初頭、「言語」というものは現実を伝える手段ではなく、言語それ自体が現実を確定するのだと主張していた。これを受けて、哲学者のJ・デリダは、言語的構造によって作られる「テクスト」は外部の人間世界には関係がないとし、歴史叙述が言語のテクストの形をとるかぎり、それは現実とは関係がないと主張した。また、哲学者M・フーコーは、人間、国家、社会、経済、身体、性、精神など、いずれも客観的現実などではなく、言語によって作られた「言説」なのであり、この言説こそ現実なのであって、歴史家はいかなる形でも過去を正確に表すことはできないと主張した。これに刺激されて、歴史学の分野でも、L・ストーンは、過去を言語で表現する歴史叙述は、すべて「物語」なのであり、歴史叙述は文学の物語が持つ形式(ロマン的、悲劇的、喜劇的、風刺的)に支配されているのだと主張した(ウィルソン『歴史学の未来へ』二五一—二五三、二五五頁。なおこれとは別に分析哲学においては、すでに言語の論理と哲学の問題として言語論的転回が論じられていた)。

要するに、ポストモダンは、一方では、歴史の中に客観的事実なるものを否定し、歴史上の事実というものは、史料の記録者のバイアスだけでなく、言語、言説、イメージによって「構築」されたものであるとし、他方では、歴史記述は歴史家の政治的バイアスだけでなく、記述の修辞的・文学的側面(言語やプロット)に内在するバイアスに従って「構築」されると主張したのだった(ウィルソン『歴史学の未来へ』二〇七、二五六—二五七頁、Woolf, *A Global History of History*, p. 499も見よ)。

実はすでに歴史家の中には、こういうポストモダンの議論の一部を先取りしていた人もいた。たとえば、E・H・カーは『歴史とは何か』(一九六一年)において、客観的な事実とその積み上げによる歴史という考えを否定して、歴史を認識し記述する主体としての歴史家の意識が事実を解釈するうえで重要な役割を演じていると述べていた。もちろんカーは言語の機能には踏み込んでいなかったが、歴史家を離れた客観的事実というものを否定していたのである。

さて、ポストモダンの挑戦を受けて、一九九〇年代には改めて歴史とはなにかが盛んに問われた。歴史家のサウスゲイトによれば、歴史家の反応には三つがあった(Southgate, *Postmodernism in History*, pp. 50-52)。一つは、徹底した反発であった。二つは、ポストモダンの主張には一部の意味を認めるが、それでもその主張は「極端な相対主義」であり、客観的な歴史的事実は存在するのだとするものである。三つは、ポストモダンの主張を受け入れて新しい歴史を描くものである。この第三の立場からは、二一世紀に入ると「歴史物語り」論が登場した。これは、史料を作る時も人間が「物語り」として書いており、そういう史料を使って歴史を記述する時も、人(歴史家)は「物語り」として書いているのだとするものである。

右の中のポストモダンを受け容れた歴史学も「歴史物語り」論も、それぞれ歴史学の方法としては重要な論点を含んでいるが、ともに客観的事実に基づく歴史を無意味とするために、それに伴って、歴史自体も無意味だと受け止められる傾向を生み出した。一般社会では、歴史は知るに値しない、研究に値しないものであり、歴史は「物語り」なのだから、なにを語ってもいいというふうに受け止められがちであった。E・H・カーの議論は、歴史への懐疑を生むどころか、むしろ歴史への関心を強めたと言ってもいいほどであったが、ポストモダンの「極端な議論」は「脱歴史時代」を生み出す要因の一つとなったと言えよう。

ところで、ポストモダンの挑戦を受け容れているリン・ハントも、左記のように述べている。「言語論的転回」に影響されたポストモダンの歴史学は、かつての歴史学のパラダイム(マルクス主義、近代化論、アナール学派など)を批判したが、代わってなにか積極的な代案を出したわけではない。

グローバリゼーション論が一番可能性がありそうだが、これも世界システム論のように「トップダウン」のものである限り、従来の歴史学のパラダイムの繰り返しであると言う(ハント『グローバル時代の歴史学』一六五頁)。つまり、ポストモダンの歴史学も代案は出せておらず、歴史学自体が混迷状態にあるから、「歴史離れ」が起きるのだということになる。これも「脱歴史時代」を説明する鍵の一つであろう。

この歴史学の混迷の間に、ポストモダンは、歴史は知るに値しない、歴史はいかようにも「構築」し「物語」ることのできるものだという風潮を生み出し、人々を歴史から離れさせたのである。そのところがさらに問題は、その延長上に「ポスト真実」という考えが生み出されたことである。その「ポスト真実」の下では、「脱歴史時代」はさらに促進された。

「ポスト真実」

二〇一六年が「ポスト真実」の歴史にとって一つの画期であった。この年以降、「ポスト真実」という言葉の使用度が急増したのである。オックスフォード英語辞典は「二〇一六年のことば」に、「ポスト真実 post-truth」を選んだ。それは「公論を形成するにあたって、客観的な事実 fact よりも、感情や個人的信条に訴えることのほうが、影響力の強い状況」を意味するとした(https://languages.oup.com/word-of-the-year/2016/)。われわれは「事実」と「真実」を尊重するような時代と文化を乗り越えて、それを「後ろ」にして、その次の世界に来ているのだ、「事実」や「真実」はもう時代遅れのものになったという意味である(マッキンタイア『ポストトゥルース』二〇頁)。つまり、「ポスト真実」の文化においては、「客観的な事実」はあまり意味を持たなくなってくるのである（なおここでは、「事実」と「真実」は区別なしで使われていると言ってよい。思想家のリー・マッキンタイアもその著書『ポストトゥルース』において「事実」と「真実」を区別せずに使っている）。

さて、マッキンタイアによれば、二〇一六年の英米での政治的な動きの中で、「あやふやな事実」が論拠となり、論証において証拠（エビデンス）が放棄され、明白な「フェイク」までも使われる議論が繰り返されたことに、多くの人は仰天してしまった。とくにこの時米大統領に当選したトランプは、公然と「フェイクニュース」を駆使した。かれが収めた勝利はレーガン以来のものであるとか、大統領就任式に集まった群衆の数はアメリカ史上最大であるといったかれの「フェイク」は人々を驚かせた（マッキンタイア『ポストトゥルース』一五―一六頁）。こういう「フェイク」は、歴史を遡って「事実」を検証することは無意味だという含意を持つものであった。

こうして、「ポスト真実」は、過去の「客観的事実」を材料にものを考える歴史を益のないものとする傾向を促進した。過去の「事実」と言われるものは「事実と思われているもの」に過ぎないとすることによって、そういうものに依拠して考える歴史は「胡散臭《うさんくさ》い」ものとみなされるようになったのである。

以上に見てきたように、①時代の急速な動き、②「冷戦」後の思想状況、③「ポストモダン」の影響、そして④「ポスト真実」の影響など、いくつもの要因が重なって、「脱歴史時代」を生み出してきているのである。

3 「歴史」はなぜ必要だと言われているか

そのような「脱歴史時代」の今、あらためて「歴史」はなぜ必要なのかが問われている。一九九〇年代スターンズは、このように言っていた。「歴史の効用」は二つの基本的な事実にある。一つは、人々と社会のあり方についての「情報の倉庫」としての効用である。歴史は社会がどのように機能するかを考え分析するための膨大な実証的材料を提供してくれる。二つは、歴史は、「変化」を理解させ、今のわれわれがどのようにしてこうなったのかを理解すべく助けてくれる。歴史の研究を通じてはじめて、われわれは事物がなぜ変わったのかや、変化を引き起こした要素が何であるのかや、どういう要素が変化せずに持続したのかを知ることができるのである。このように、大きく二つの効用を指摘したのち、かれはさらに具体的に歴史の効用を述べている。それを見ると、

（1）歴史は人間の生き方と社会について「別の見方」を教えてくれる。
（2）歴史は「倫理的に考える」材料を与えてくれる。過去に複雑な事態に直面した個人がどう行動したかを知って、自身の倫理観を試すことができる。
（3）歴史はネイション、家族、地域社会についての「アイデンティティ」を与える。
（4）歴史は良き「市民」にとって必須である。地域や国の諸制度の成り立ちや問題点、国と国の相互関係の変化などについて、責任ある市民が考える習慣を促進する。

などを挙げている(Sternes, "Why Study History?")。

二一世紀に入って歴史家のN・ウィルソンは、歴史が必要なのは、以下の効用があるからであると整理していた。第一に、歴史は、「変化」こそ人類の経験における恒常的状態であることを示すことによって、われわれの偏狭さを取り払ってくれる。第二に、歴史は、時代における差異と変化の「不可逆性」を教えてくれる。そして第三に、歴史は、過去の「他者性・異質性」を強調し、現在との違いを明らかにして、新しい展望を開いてくれる(ウィルソン『歴史学の未来へ』六―七頁)。「冷戦」終結や九・一一などを念頭においた議論であろう。同じように、トシュも、歴史は、過去と現在との違いや類似を説明し、現在が作られた由来を明らかにするのだと述べていた(Tosh, *Why History Matters*, p. 7)。

日本の大学研究者の中で、この時期に、歴史はなぜ必要かということを正面から問題にしていた桃木は、歴史の意義を、「人間存在や社会のありかたを抽象的・一般的に思弁するのではなく、具体的な条件のもとで、しかも総合的に考える習慣が身につく」ことと、「そこから現在を理解し未来を見通す力が養われる」ことに求めていた(桃木『わかる歴史 面白い歴史 役に立つ歴史』七一―七六頁)。

だが、同じ時期にコーフィールドは、右に見たような歴史擁護論は「絶望的に弱い」のであり、歴史をもっと強く擁護する必要があると危機感を表明していた。そして、「歴史は逃れられないものだから」必要なのだと言う。歴史は、時間を通していろいろなものを結び付け、現在も過去に結び付けられていることを教えてくれる。「すべての人や民族(国民)は歴史を生きている」のである。だから過去と現在の間のつながりを理解することは、人間の現状をよく理解するために絶対的に必要なことである。歴史は役に立つどころか、不可欠なものなのであると言う(Corfield, "All people are living histories")。要するに、われわれは「真空」の中になにかを作れるのではない。歴史の条件(しがらみ)の中でしか、事をなせないのだと言っているわけである。スターンズやトシュよりも積極的に歴史の必要性を強調している。これは、九・一一以降の歴史家たちの危機感を反映しているのであろう。

では、二〇一六年頃から急に問題視されるようになった「ポスト真実」の時代には、どのような意味で歴史は必要であると論じられているのだろうか。「ポスト真実」の時代における歴史の位置をよく考えている一人は、リン・ハントである。ポストモダンの歴史家である彼女は、「絶対的な真実」というものは否定し、歴史的真実は「暫定的」な性格のものであるとするが、「ポスト真実」の考えには批判的である。リン・ハントは、「嘘(フェイク)」に対抗し、記念碑をめぐる論争、教科書論争、記憶戦争に対応するためには、ますます歴史が必要なのだと言う。「歴史的真実を主張することは、市民として勇気が要ることだが、必要な行為となっている」。「絶対的な真実は不可能であるけれども、厳密に眺めれば、歴史的真実の基準というものは、〔中略〕信じられないほど強靭なことである」。だから一般市民は、「注目を集めるようなものだけではなく、できる限り正確な歴史的出来事や歴史的経緯を知らされねばならない」と言う(ハント『なぜ歴史を学ぶのか』四、二二、二六、五五頁)。

おわりに

では最後に、このような状況の中で、われわれはなにをなすべきなのか、なにが必要なのであろうか。トシュやリン・ハントは「批判的なパブリック・ヒストリー」が必要であるという。パブリック・ヒストリーは、すでに一九八〇年代から提唱されている歴史である。その意味は、第一に、アカデミックな専門家を対象とした歴史ではなく、公衆(パブリック)を「聴衆」として位置付ける歴史である。第二に、歴史の対象を歴史学の中でのテーマに限らず、広く日常にまで求めるという意味でのパブリックな歴史である。そして第三に、歴史の担い手も専門家だけでなく、シティズン(市民)を含め社会のさまざまな範囲から出てくるという意味でのパブリックな歴史である(Tosh, *Why History Matters*, pp. 99-119)。それに「批判的」という限定がつくのである。これは時の体制や政治に対して「批判的」という直接的な意味だけではない。史実を確定しているか、議論の筋が通っているか、論理に飛躍がないか、どこにも「フェイク」がないかといったことを「批判的」に検討するということをも意味している。

たしかに、そういう「批判的なパブリック・ヒストリー」が現在求められているという主張は受け容れることができる。しかしその前提として、歴史というものが、しかも「フェイク」ではない歴史というものが、必要なのだという意識がパブリックに広まることが求められている。

参考文献

ウィルソン、N・J『歴史学の未来へ』南塚信吾・木村真監訳、法政大学出版局、二〇一一年(Norman J. Wilson, *History in Crisis?* Pearson/Prentice Hall, 2005)。

カー、E・H『歴史とは何か』清水幾太郎訳、岩波新書、一九六二年。

加藤周一『日本文化における時間と空間』岩波書店、二〇〇七年。

遅塚忠躬『史学概論』東京大学出版会、二〇一〇年。

野家啓一『歴史を哲学する』岩波書店、二〇一六年。

長谷川貴彦『現代歴史学への展望』岩波書店、二〇一六年。

ハント、リン『グローバル時代の歴史学』長谷川貴彦訳、岩波書店、二〇一六年(Lynn Hunt, *Writing History in the Global Era*, W. W. Norton, 2014)。

――『なぜ歴史を学ぶのか』長谷川貴彦訳、岩波書店、二〇一九年(Lynn Hunt, *History: Why it Matters*, Polity Press, 2018)。

マッキンタイア、リー『ポストトゥルース』大橋完太郎監訳、人文書院、二〇二〇年(Lee McIntyre, *Post-Truth*, MIT Press, 2018)。

桃木至朗『わかる歴史 面白い歴史 役に立つ歴史』大阪大学出版会、二〇〇九年。

ワインバーグ、サム『歴史的思考 その不自然な行為』渡部竜也監訳、春風社、二〇一七年(Sam Wineburg, *Historical Thinking and Other Unnatural Acts*, Temple University Press, 2001)。

Corfield, Penelope J., "All people are living histories: which is why History matters" (https://archives.history.ac.uk/makinghistory/resources/articles/why_history_matters.html 2008).

Isselhardt, Tiffany R., "Why History Is Important" (https://owlcation.com/academia/Why-History-is-Important (Updated on May 28, 2018)).

McGuigan, Jim, *Modernity and Postmodern Culture*, Open Univ. Press, 1999.

O'Connor, Ryan, "Why is History Important?" (https://www.snhu.edu/about-us/newsroom/2018/04/why-is-history-important (April 12, 2018)).

Southgate, Beverley, *Postmodernism in History: Fear or Freedom*, Loutledge, 2003.
Stearns, Peter N., "Why Study History?" (https://www.historians.org/about-aha-and-membership/aha-history-and-archives/historical-archives/why-study-history-(1998)).
Tosh, John, *Why History Matters*, Palgrave, 2008.
Woolf, Daniel, *A Global History of History*, Cambridge U.P., 2011.

第I部

現在は過去の遺産の上にある

「現在というのは過去の集積によって形作られている」(村上春樹)。だから、われわれの身近にあるあらゆるものの中に過去、いいかえれば歴史が積み重なっているのである。

例えば、ありふれた高原野菜(レタス、キャベツなど)にも重い歴史が詰まっている。食品の歴史を世界史に位置づけようとする試みは、日本でも、伊藤章治『ジャガイモの世界史――歴史を動かした「貧者のパン」』(中公新書、二〇〇八年)、鵜飼保雄『トウモロコシの世界史――神となった作物の九〇〇〇年』(悠書館、二〇一五年)などかなりの数見られる。これらは「世界商品」といいうるような食品を主題としているが、レタスやキャベツのような主として国内消費向けの食品にも世界史は内包されているのである。

同じように、スポーツも世界史と結びついている。ラグビーやサッカーは大英帝国の発展とともに世界中に広まった。しかし、同じく英国発のクリケットは旧英領植民地の一部以外には広がらなかった。そこには、受容する側の社会や文化の歴史が関係しているのであろう。

(小谷汪之)

第Ⅰ章　歴史なしで村上春樹が読めますか？

小谷汪之

はじめに――「過去を書き換えれば、当然ながら現在だって変わる」

村上春樹の長編小説『１Ｑ８４』の中で、「天吾」と彼の年上で人妻の「ガールフレンド」が、「ここにある世界」（「ここの世界」）と「ここではない世界」について、こんな会話を交わしている。

「ここではない世界で、人々はここにいる私たちとだいたい同じようなことをしている。だとしたら、ここではない世界であることの意味はいったいどこにあるのかしら？」

「ここではない世界であることの意味は、ここにある世界の過去を書き換えられることなんだ」

と天吾は言った。〔中略〕

「あなたは過去を書き換えたいの？」

「君は過去を書き換えたくないの？」

彼女は首を振った。「私は過去だとか歴史だとか、そんなものを書き換えたいとはちっとも思わない。私が書き換えたいのはね、今ここにある現在よ」

「でも過去を書き換えれば、当然ながら現在だって変わる。現在というのは過去の集積によって形作られているわけだから」（村上『1Q84 BOOK1 後編』三五九―三六〇頁）

確かに「現在というのは過去の集積によって形作られている」。だから、「過去だとか歴史だとか」といったものはどうでもいいということには決してならない。しかし、「過去を書き換えれば、当然ながら現在だって変わる」というのは、現実的には、どういうことを意味しているのであろうか。

1　ノモンハン戦争と地下鉄サリン事件

村上春樹は多くの作品の中に、さまざまな歴史上の出来事を編み込んでいる。中でも目立つのは、日本の中国侵略にかかわる出来事、例えば南京虐殺事件や、「満洲国」（日本帝国主義が作り出した傀儡国家、一九三二―四五年）にかかわるいくつかの出来事、特にノモンハン戦争（当時の日本における言い方では、ノモンハン事件）で、これらの出来事は『ねじまき鳥クロニクル』、『1Q84』、『騎士団長殺し』など彼の多くの作品に何らかの形で出てくる。ここでは、それらの中からノモンハン戦争を取り上げてみたい。

今ではよく知られていると言ってよいのかもしれないが、ノモンハン戦争というのは、一九三九

(昭和一四)年五月から九月にかけて、満洲国と「外モンゴル」(モンゴル人民共和国)との国境地帯、ホロンバイル草原のハルハ河畔を主戦場として、日本軍・満洲国軍とソヴィエト連邦(ソ連)軍・外モンゴル軍が戦った本格的な戦闘のことである(図1－1参照。国境線と鉄道路線はノモンハン戦争勃発時のもの)。

一九三九年五月四日、五〇人あまりの外モンゴル軍兵士がハルハ河を東に越えて、ハルハ河右岸(東側)地域に進出して陣地を構築しはじめた。外モンゴルはハルハ河の右岸から一〇ないし二〇キロメートルほど東寄りの線を満洲国との国境線とみなしていたからである。しかし、満洲国の側はハルハ河を外モンゴルとの国境線とみなしていたので、満洲国軍兵士がそれに反撃した。約一〇時間にわたる交戦の末、外モンゴル軍兵士はハルハ河左岸(西側)に撤退した。これがノモンハン戦争の発端である(クックス『ノモンハン 上』六六頁)。この事件は、その頃満洲国の周辺で頻発していた小さな国境紛争の一つのように思われたが、それに日本軍とソ連軍が加わったことによって、戦闘が拡大していった。日本軍はハイラル(海拉爾)を基地とし、そこから諸部隊をノモンハン方面に展開させた。しかし、五月三一日、ソ連軍・外モンゴル軍がハルハ河左岸(西側)に退き、日本軍もハイラルの基地に撤退したことによって戦闘は一時終息した。

六月一七日、ソ連軍・外モンゴル軍が再びハルハ河を越えて右岸(東側)に進出し、満洲国軍に攻撃をかけた。同じく一七日、ソ連軍機二、三十機がカンジュル(甘珠爾)廟周辺を爆撃、翌日には、アルシャン(阿爾山)を爆撃した。二二日からはソ連軍機と日本軍機の間で大規模な空中戦も始まった(クックス『ノモンハン 上』一一四―一一五、一二五頁)。ソ連軍は、地上では、ハルハ河とホルステン

図 1-1　ノモンハン戦争関連地図

川の合流点周辺に、最新鋭の戦車などを大規模に投入して、旧式の装備に頼る日本軍に対する攻勢を強めた。劣勢に陥った日本軍は、七月二三日、砲兵隊による大規模な反撃を開始したが、所期の戦果を挙げることができなかった。二五日、日本軍は攻撃を中止し、防御陣地の構築に重点を移した（クックス『ノモンハン　上』三九六―三九七頁）。

ソ連軍はその後も散発的な攻撃を続け、八月二〇日には、陸空で大攻勢を開始した。二四日、日本軍は反攻に転じたが、ソ連軍の反撃にあって二七日には攻撃を続ける余力を失った。その後、日本軍側では壊滅する部隊が相次ぎ、三〇日以降、残余の部隊は次々とノモンハン方面に退却した。ソ連軍も、外モンゴルの主張する国境線を越えて日本軍を追撃することはしなかったので、地上の戦火は下火になっていった。現地の日本軍はなお「弔い合戦」を策していたが、九月三日、大本営（参謀本部）は現地軍に戦闘停止命令を送信、六日、戦闘停止が各部隊に下達された。一九三九年九月一五日には、モスクワで日ソ両国の間に停戦協定が結ばれた。このノモンハン戦争において、日本軍の動員した兵員は約五万九〇〇〇人、戦死傷者は約一万九〇〇〇人にのぼった（クックス『ノモンハン　下』二五一―二五三頁）。

ノモンハン戦争は日本軍が近代化された最新装備を持つ軍隊と対戦した初めての本格的な戦闘であったが、そこで露呈されたのは、軍備のみならず戦略や精神面における日本軍の「非近代性」であった。村上春樹は次のように言っている。

それ［ノモンハン戦争］は期間にして四カ月弱の局地戦であり、今風に言うならば「限定戦争」であった。にもかかわらずそれは、日本人の非近代を引きずった戦争観＝世界観が、ソビエト（あるいは非アジア）という新しい組み替えを受けた戦争観＝世界観に完膚《かんぷ》なきまでに撃破され蹂《じゅう》躙《りん》された最初の体験であった。しかし残念なことに、軍指導者はそこからほとんどなにひとつとして教訓を学びとらなかったし、当然のことながらそれとまったく同じパターンが、今度は圧倒的な規模で南方の戦線で繰り返されることになった。ノモンハンで命を落とした日本軍の兵士は二万足らずだったが、太平洋戦争（一九四一―四五年）では実に二百万を越す戦闘員が戦死することになった。そしていちばん重要なことは、ノモンハンにおいても、ニューギニアにおいても、兵士たちの多くは同じようにほとんど意味を持たない死に方をしたということだった。彼らは日本という密閉された組織の中で、名もなき消耗品として、きわめて効率悪く殺されていったのだ。（村上「ノモンハンの鉄の墓場」一六七―一六八頁）

村上が、多くの兵士たちは「日本という密閉された組織」の中で、「きわめて効率悪く殺されていった」と言う時、「密閉された組織」というのは戦前日本の軍隊だけを指すのではない。戦前の日本の国家と社会全体が「密閉された組織」だったのであり、しかも、その密閉体質は現在の日本の国家や社会にもそのまま引き継がれていると村上は考えているのである。村上はそのことをオウム真理教団が引き起こした地下鉄サリン事件（一九九五年三月二〇日）の取材を通して強く実感した。地下鉄サリン事件の際には、警察や消防などで多くの「判断ミス」（過失）があったが、それらの「過失の原因や責任や、それに至った経緯や、またそれらの過失によって引き起こされた結果の実態が、いまだに情報として一般に向けて充分に公開されていないという事実」に村上は深い危機感をもった。「過失を外に向かって明確にしたがらない」日本の組織の体質、現代日本の国家や社会全体を覆うこのような隠蔽(密閉)体質、隠蔽(密閉)することによって責任を回避しようとする体質に対する危機感である(村上『アンダーグラウンド』七六九頁)。村上は次のように言っている。

『ねじまき鳥クロニクル』という小説を書くために以前、一九三九年の「ノモンハン戦争(事件)」の綿密なリサーチをしたことがあるが、資料を調べれば調べるほど、その当時の帝国陸軍の運営システムの杜撰さと愚かしさに、ほとんど言葉を失ってしまった。〔中略〕でも今回の地下鉄サリン事件の取材を通じて、私が経験したこのような閉塞的、責任回避型の社会体質は、実のところ当時の帝国陸軍の体質とたいして変わっていないのだ。〔中略〕〔ノモンハン戦争は〕たとえ五〇年〔現在からは八〇年〕以上前のこととはいえ、そんな愚かしいことが実際におこなわれていたという事実に、私は少なからぬショックを覚えた。しかし実はそれとほとんど変わらないことが、この現代の日本において繰り返されているのだ。(村上『アンダーグラウンド』七六九―七七〇頁)

日本の現在の社会や国家の「閉塞〔密閉〕的、責任回避型の社会体質」はノモンハン戦争で露呈した戦前日本の「社会体質」と何も変わっていないという実感。村上が多くの作品の中で、しばしばノモンハン戦争に立ち返るのはそのためであろう(この「閉塞〔密閉〕的、責任回避型の社会体質」を最も露骨に体現していたのは旧安倍晋三政権であった)。

しかし、『ねじまき鳥クロニクル』をはじめとするどの作品を見ても、ノモンハン戦争の原因、経過、結果についての詳しい記述はない。ノモンハンという言葉はしばしば出てくるのだが、あまり具体的記述を伴ってはいないのである。『ねじまき鳥クロニクル 第1部 泥棒かささぎ編』では、そのかわりとして、「間宮中尉の長い話」(二九五―三七三頁)が語られている。

2 「間宮中尉の長い話」

「間宮中尉」は、一九三七(昭和一二)年の初め、「少尉として新京の関東軍参謀本部に着任」した。大学で地理学を専攻していたことから、「地図を専門とする兵要地誌班という部署」に配属された(兵要地誌とは軍事作戦用の地理情報のこと。関東軍は満洲に配備されていた日本帝国陸軍部隊で、この時には満洲国の首都、新京[現、長春]に司令部があった。ただし、「関東軍参謀本部」というのは存在しないので、これは関東軍参謀部第二課兵要地誌班を指すのであろう)。

翌一九三八年四月の終わり頃、間宮中尉は上官に呼ばれ、山本という男に引き合わされた。山本は民間人であるが、軍の依頼を受けて「ホロンバイル草原の外蒙古との国境地帯の調査」をするということで、間宮中尉は本田と浜野という二人の兵士を指揮して、警護のために山本に同行することを命じられた。その時、山本は実は情報関係の高級将校ではないかと間宮中尉は思った。間宮中尉には、もうひとつ、「警護の傍ら当該地域の地誌情報をより細かく収集し、地図の精度の向上に寄与する」という任務が与えられた。

一行四人は新京からハルビン（哈爾浜）に行き、そこで北満鉄路（旧東清鉄道）満洲里方面行に乗り換えてハイラル駅で下車した。ハイラルからはトラックでカンジュル廟という「ラマ教（チベット仏教）の寺のある場所」を経て、ハルハ河の近くにある満洲国軍の国境監視所に行った。そこで馬に乗り換え、ハルハ河に出て、河沿いに南に下った。二日間南に進んだところで、山本が明日未明に、ハルハ河を越えることになると言った。間宮中尉は国境を越えて外モンゴル領に入ることを躊躇したが、山本に押し切られた。

ハルハ河を渡河したその夕方、一人の軍人らしいモンゴル人がやって来て、山本はこのモンゴル人と一緒に馬に乗って出かけていった。この前年（一九三七年）には、外モンゴルで反ソ連の反乱計画が露顕して、大粛清が行われ、何千人という外モンゴル軍人やチベット仏教僧侶が処刑されていた。そこで、日本側は反ソ連派の外モンゴル軍人と連絡をつけようとして、山本のような情報将校を送り込んだのではないかと間宮中尉は推測した。その翌々日早朝、山本は重要そうな書類を持って戻り、すぐにハルハ河を越えて満洲国側に帰ると告げた。しかし、渡河地点まで行くと、そこはすでに外モンゴル兵たちが見張っていたので、翌早朝まで野営することにした。その寝込みを外モンゴル兵たちに襲われて、歩哨に立っていた浜野はナイフで殺害され、山本と間宮中尉は捕縛されてしまった。予知能力を持つ本田はいち早く襲撃に気づいてテントから脱出し、山本の持って帰った書類を地面に埋めて隠した。

外モンゴル兵から電信連絡を受けて、後に「皮剝ぎボリス」として登場するロシア人の将校が飛行機で飛んできて、山本を尋問した。山本が書類については知らないと答えたので、そのロシア人将校は山本を「皮剝ぎ」の拷問にかけて吐かせることにした。山本は素裸のまま手足を四本の杭に縛りつけられ、全身の皮を次々と剝がれていった。それでも山本は何も言わなかったので、最後は血まみれの肉の塊となって絶命した。間宮中尉の処分を任された外モンゴル兵たちは素裸の間宮中尉を馬の背にくくり付けて、砂漠の真ん中の涸れ井戸の所に連れて行き、ここで銃殺されるか井戸に飛び込むか、どちらかを選べと身振りで伝えた。間宮中尉は自ら井戸に飛び込んだ。数日後、間宮中尉は外モンゴル兵士たちの襲撃から逃れた本田によって救出された。

この「間宮中尉の長い話」は史実ではないが、かといって、村上春樹の全くの創作でもないと思われる。「間宮中尉の長い話」を読んだ多くの人が思い起こすのは一九三一(昭和六)年に起きた中村震太郎大尉殺害事件であろう。中村大尉殺害事件とは大略次のような事件であった。

3　中村震太郎大尉殺害事件

一九三一年六月、中村震太郎大尉(当時、参謀本部第一部作戦課兵站班所属)は中国東北地方、大興安嶺東側地域の兵要地誌調査を命じられた。中村大尉は、東清鉄道昂々渓《こうこうけい》駅近くで旅館昂栄館を営む陸軍予備曹長井杉延太郎に同行を依頼するとともに、井杉を介してロシア人一人とモンゴル人一人を通訳などとして雇った(児島『満州帝国Ⅰ』八二、一二一—一二三頁)。

六月九日、中村大尉一行四人は東清鉄道で満洲里方面に向かい、大興安嶺山中のイルクト(伊爾克特)駅で下車した。兵要地誌調査を行いながら、馬で大興安嶺東麓にそって南下し、ソロン(索倫)を経て、七月初めまでには洮南《とうなん》に出る予定であった(鹿島平和研究所編『日本外交史18　満州事変』四八頁)。しかし、その後、中村大尉一行の消息は絶え、七月中旬になっても洮南に到着しなかった。そのため、関東軍は七月二四日、この件の調査に取りかかり、ハルビン特務機関や関東憲兵隊、さらには満鉄社員なども協力した結果、次のような事情が明らかになった(渡部編『全文　リットン報告書』一七二―一七三頁、児島『満州帝国Ⅰ』一一九―一二五頁)。

さらに、中村大尉と井杉陸軍予備曹長は中国兵によって殺害されたらしいという噂が広がった。そ

六月二五日早朝、中村大尉一行はジャライド(扎賚特)付近を出発して蘇《そ》鄂公府《がくこうふ》をめざした。蘇鄂公府はソロン(索倫)と葛根廟《かっこんびょう》の間に位置する集落であるが、張学良(当時、中華民国東北辺防総司令)配下の正規軍、屯墾第三団約六〇〇人が駐屯していた。中村大尉一行が蘇鄂公府付近まで来た時、屯墾第三団歩哨がそれを見とがめ、屯墾第三団長代理、関玉衡《かんぎょくこう》中佐が中村大尉らを尋問した。荷物検査も行われ、軍事地図一枚、日誌二冊などの書類が見つかったため、軍事スパイではないかと疑われた。また、「白面」(ヘロイン)を売薬として所持していたことが法律違反とされた。それに対して、中村大尉はハルビンの日本総領事館が発行した「護照」(身分証明書)を提示した。そこには、農業技師中村震太郎と記されていたが、信用されなかった。中村大尉ら四人は逮捕され、腕を縛られて、兵営に監禁された。

六月二七日午後一〇時頃、関玉衡中佐は数人の兵を呼び、中村大尉ら四人の口に綿花を詰め込み、足を縛ったうえで、皮鞭で三〇分もの間乱打させた。その後、部下の部将たちに「大車」一台と石

油一缶を用意し、四人を東方二キロメートルほどの丘に連れて行って、銃殺せよと命令した。「大車」で目的地に運ばれた中村大尉ら四人はそこで直ちに銃殺された。証拠隠滅のために、四人の死体は散兵壕内で石油をかけて焼却され、埋められた。

八月一七日、日本政府の指令を受けた奉天(現、瀋陽)の林久治郎総領事が中華民国遼寧(奉天)省長の臧式毅《ぞうしきき》と面会し、下手人の捜査と賠償を要求した。九月一八日午後、日中両国の会談において、中国側は中村大尉ら四人を射殺したことを認めたが、それは中村大尉らが逃亡しようとしたからだと主張した(森島『陰謀・暗殺・軍刀』四六―四七頁)。このように日中双方の主張が平行線をたどったままであったこの日(九月一八日)の夜、関東軍が奉天東北郊の柳条湖で満鉄線路を爆破し、満洲事変を引き起こした。その渦中で中村大尉殺害事件はどこかに吹き飛んでしまった。

この中村大尉殺害事件と「間宮中尉の長い話」の間には、両者とも一行四人で、兵要地誌調査を目的あるいは少なくとも目的の一つとしている点など共通点が多い。しかも、図1－1から分かるように、「間宮中尉の長い話」の舞台とされているホロンバイル草原は中村大尉殺害事件が起こった場所に意外と近い。大興安嶺東側の葛根廟、ソロン(索倫)からアルシャン(阿爾山)峡谷を通り抜けて、大興安嶺西側のホロンバイル草原に出る道が通っているのである。この道(カンジュル街道)は大興安嶺西麓のハンダガヤを経てカンジュル廟に通じ、そこからさらに北方はハイラルに至る。

村上春樹は、おそらく、中村大尉殺害事件を換骨奪胎して「間宮中尉の長い話」を構想したのであろう。

4　シベリア抑留と「皮剝ぎボリス」の話

「間宮中尉の長い話」は、さらに、『ねじまき鳥クロニクル 第3部 鳥刺し男編』の「皮剝ぎボリス」の話(三八三―四〇二、四一六―四三四頁)へと続く。そこでは、ソ連軍によってシベリアに抑留された日本人捕虜たちの悲惨な収容所生活が間宮中尉の手紙の形で語られている。

一九四五年八月九日、ソ連軍は東、北、西の三方面から一斉に満洲国になだれ込んだ。間宮中尉は、西から侵攻してきたソ連軍とのハイラル郊外での攻防戦でソ連軍戦車に片腕を踏みつぶされて、気を失った。捕虜としてチタのソ連軍病院に運ばれた間宮中尉は一命を取りとめ、シベリアのある炭鉱の収容所に送られた。間宮中尉は長い満洲生活の中で、ロシア語を自由に話せるようになっていたので、収容所では通訳として働いた。ある日、間宮中尉ははからずも「皮剝ぎボリス」と再会した。その時、「皮剝ぎボリス」は失脚して、その炭鉱で道路工事のような労役に就かされていた。しかし、彼はその後策略を巡らして、自分に従わない収容所役人や日本人捕虜を次々と殺害して、その炭鉱の実権を掌握してしまった。「皮剝ぎボリス」は間宮中尉の外モンゴルにおける「スパイ行為」を脅迫の材料として、彼に協力することを強要した。そのために、間宮中尉は日本人捕虜たちの間で孤立するようになっていった。

一九四八年の初め頃、日本人捕虜がようやく帰国できるようになったという噂が収容所の中に流れた。春になれば、日本への帰還船が出るという話であった。しかし、「皮剝ぎボリス」は間宮中尉に、帰国せずに、そのまま収容所で働くことを要求した。間宮中尉は「皮剝ぎボリス」の殺害を決意し、三月のある夜、彼の部屋を訪ねた。壁にかけられた「皮剝ぎボリス」の外套のポケットに拳銃が入っているのを見た間宮中尉は、その拳銃を奪って「皮剝ぎボリス」を撃ったが、弾丸がそれて失敗した。「皮剝ぎボリス」は言った。「気の毒だが君は私の呪《のろ》いを抱えて故郷に戻ることになる。いいかい、君はどこにいても幸福にはなれない。〔中略〕それが私の呪いだ。私は君を殺さないよ。〔中略〕私は必要のない殺しはしないんだ。さよならマミヤ中尉《ちゅうい》、一週間後に君はここを出てナホトカに向かう」（村上『ねじまき鳥クロニクル　第3部　鳥刺し男編』四三三頁）。「皮剝ぎボリス」の言葉通り、間宮中尉はナホトカを経て、翌年初めに日本に帰還した。「歩く脱《ぬ》け殻」のようになって。

村上春樹は、「間宮中尉の長い話」と「皮剝ぎボリス」の話を通して、満洲事変からシベリア抑留に至る日本帝国主義壊滅の歴史過程と、それによって翻弄され、「歩く脱け殻」のようになってしまった人々を見つめようとしたのであろう。

おわりに――「過去を誠実に見つめ、過去を書き換えるように未来を書き込んでいく」

「過去を書き換えれば、当然ながら現在だって変わる」ということは、現実には、ありえないことである。だから、「過去を書き換える」というのは一種のメタファー（隠喩）で、それは実は過去ではなく、未来にかかわることなのであろう。

『1Q84』の中で、「天吾」は「自らの内にある物語を自分の作品としてかたちにしたいという思い」が強くなり、「ワードプロセッサーのスイッチを入れて、書きかけの画面を呼び出した」（村

上『１Ｑ８４　ＢＯＯＫ２　前編』一二二―一二三頁）。

過去を書き換えたところでたしかにそれほどの意味はあるまい、と天吾は実感する。〔中略〕過去をどれほど熱心に綿密に書き換えても、現在自分が置かれている状況の大筋が変化することはないだろう。〔中略〕

天吾がやらなくてはならないのはおそらく、現在という十字路に立って過去を誠実に見つめ、過去を書き換えるように未来を書き込んでいくことだ。それよりほかに道はない。（村上『１Ｑ８４　ＢＯＯＫ２　前編』一二三頁）

「天吾」はワープロの画面に向かいながら、「過去を書き換える」ということは、「現在という十字路に立って過去を誠実に見つめ、過去を書き換えるように未来を書き込んでいくこと」なのだ、と実感する。

村上春樹もまた、「過去を書き換えるように未来を書き込んでいく」ために、日本の中国侵略や満洲国、ノモンハン戦争やシベリア抑留などのような「過去を誠実に見つめ」つづけているのであろう。未来はタブラ・ラサ（何も書かれていない白い石板）のようなものなのだから、「過去を誠実に見つめ、過去を書き換えるように」、そこに「未来を書き込んでいく」ことができるのである。

参考文献

鹿島平和研究所編『日本外交史18　満州事変』鹿島研究所出版会、一九七三年。

クックス、アルヴィン・D『ノモンハン——草原の日ソ戦—一九三九(上・下)』岩崎俊夫・吉本晋一郎訳、朝日新聞社、一九八九年。

児島襄『満州帝国Ⅰ』文春文庫、一九八三年。

村上春樹『ねじまき鳥クロニクル　第1部　泥棒かささぎ編』新潮文庫、一九九七年。

——『ねじまき鳥クロニクル　第3部　鳥刺し男編』新潮文庫、一九九七年。

——『アンダーグラウンド』講談社文庫、一九九九年。

——「ノモンハンの鉄の墓場」同『辺境・近境』新潮文庫、二〇〇〇年所収。

——『1Q84　BOOK1　前編』新潮文庫、二〇一二年。

——『1Q84　BOOK1　後編』新潮文庫、二〇一二年。

——『1Q84　BOOK2　前編』新潮文庫、二〇一二年。

森島守人『陰謀・暗殺・軍刀——一外交官の回想』岩波新書、一九五〇年。

渡部昇一編『全文　リットン報告書(新装版)』ビジネス社、二〇一四年。

第2章

高原野菜が生まれるまで
――敗戦と野辺山開拓

小谷汪之

はじめに

今日、八ヶ岳山麓や浅間山麓にひろがる高原野菜の広大な畑は、私たちにとって、もう見慣れた光景と言ってもいいであろう。しかし、標高一〇〇〇メートルを超えるこのような高冷地が白菜やキャベツやレタスやセロリなど豊かな高原野菜を都市部に供給できるようになるまでには、なみなみならぬ労苦があった。これら高原野菜生産地の多くは、一九四五（昭和二〇）年、アジア・太平洋戦争（日本にとっての第二次世界大戦）の敗戦後に、満洲などから引き揚げてきた人々や、中国や南方から復員した旧兵士たちなどが、行く場所もないままに、入植したところであった。今、私たちが何気なく食べている高原野菜には、敗戦後に命からがら引き揚げてきた人々の苦難の歴史が刻みこまれているのである。

そのような高原野菜産地のうち、ここでは八ヶ岳東麓、野辺山の開拓地を取りあげる。

1　野辺山開拓と黒岩競

黒岩競――満洲、沖縄、野辺山

長野県南佐久郡南牧村野辺山の開拓に大きな足跡を残したのは黒岩競という人物である。黒岩競は、一九六四(昭和三九)年、五〇歳の時に、朝日新聞長野支局の記者に次のように語っている。

満州の開拓地で現地召集をくらい、沖縄で終戦を迎えた。〔翌一九四六年〕一月十九日、郷里の信州に引揚げてくると、〔長野〕県が野辺山高原に開拓団を入植させる計画をたてている、と耳にした。日本全体が新規まき直しなんだ。おれもゼロから出直さにゃあ。そんな気持で〔野辺山に〕偵察に行ったんです。ひどい火山灰地で、気象条件も悪い。だが、体をはり、頭を使って、やり抜けば、開拓はきっとモノになる。わが国には前例のない超高冷地農業の典型を実現してみよう。そんな野心もわきまして、ね。(朝日新聞社編『前進する農民』八五頁)

黒岩競は敗戦翌年の一九四六(昭和二一)年、沖縄から帰郷したすぐ後の二月一一日に、雪の野辺山高原を訪ねた。戦時中、野辺山は陸軍東部五一部隊の演習地で、約二〇〇〇人の兵士たちが駐屯していた。その生活を支えるために、農兵隊が五〇ヘクタールほどの土地を開墾して、雑穀、野菜などを栽培していた。敗戦により、陸軍部隊も農兵隊も武装解除されたが、農兵隊員のうち三〇名ほどは残された雑穀、野菜、馬糧などを活用して、野辺山で帰農しようとしていた。黒岩はこれら

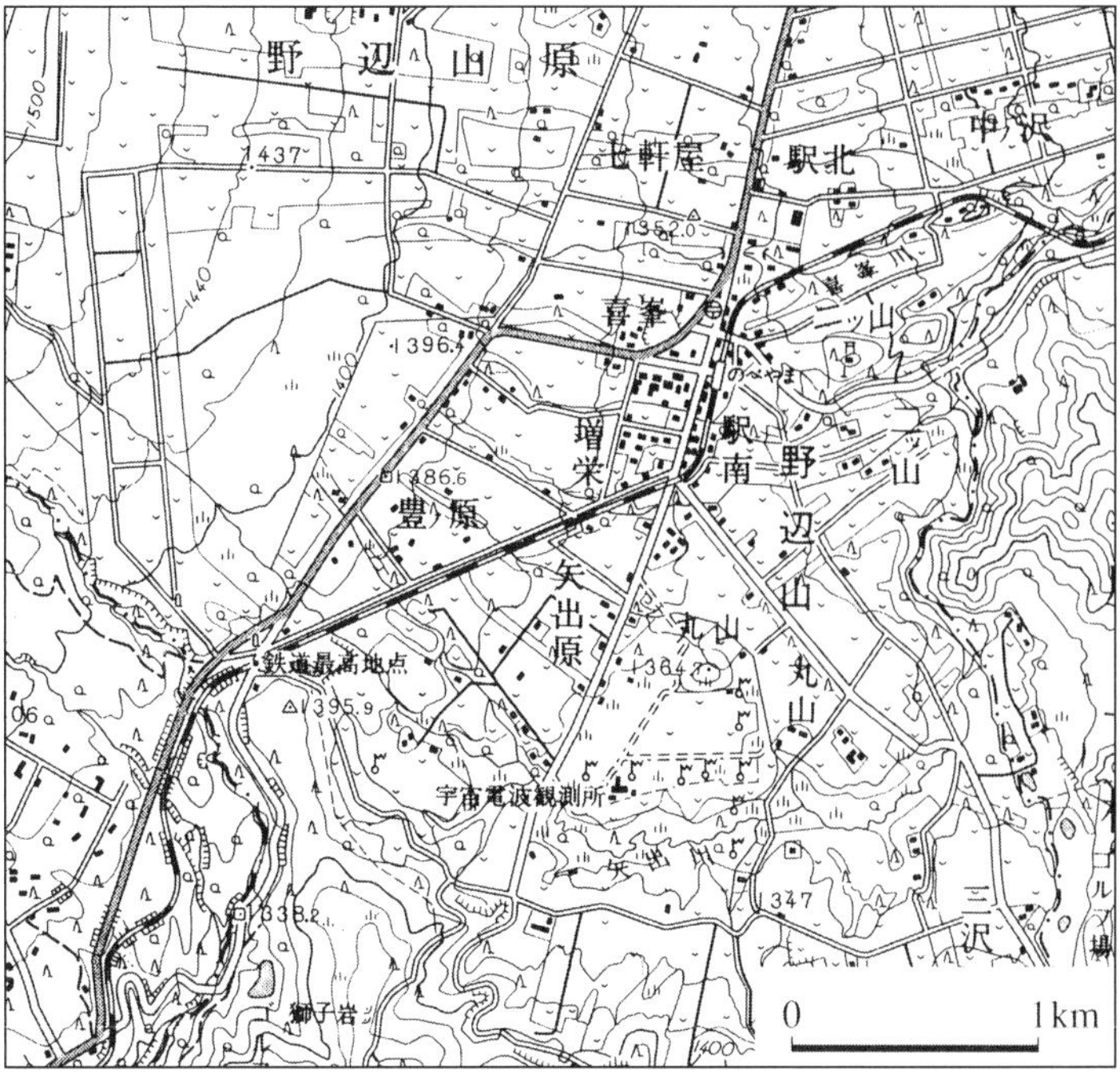

図 2-1　野辺山周辺図

の人々のもとを訪ねて、野辺山の気象条件や開拓の可能性について聞いて回った。黒岩はその中で野辺山開拓に手ごたえのようなものを感じたようで、朝日新聞の記者に次のように言っている。

野辺山の標高は、日本農業の常識からいうと〝極北〟にひとしかった。しかし、わたしは、その〝極北への道〟を選んだ。十九歳から六年間、郷里の佐久地方で独立の開墾をやりとげ、二十五歳から六年間、満蒙開拓〔青少年〕義勇軍三〇〇人をひきいて満州の荒野と取組んだ。この経験が、

わたしの決心を支えた大きな要素だった。（朝日新聞社編『前進する農民』八六頁）

この発言などから、黒岩競は一九一四（大正三）年の生まれだと思われる。生地は長野県南佐久郡臼田町である。臼田町は一九二〇年代まで繭の集散地として栄え、街道沿いには料亭や芸者の置屋が軒を連ねていたということであるが、黒岩の生家はおそらく農家であろう。黒岩は自己の学歴について何も語っていないし、「十九歳から六年間、郷里の佐久地方で独立の開墾」をしていたというのもどういうことなのかよく分からない。ここまでの黒岩の経歴はあまりはっきりしないのである。

黒岩は、「二十五歳から六年間、満蒙開拓〔青少年〕義勇軍三〇〇人をひきいて」、満洲開拓に従事したと言っている。黒岩の妻、文子によれば、黒岩は「昭和十四年〔一九三九年〕満洲〔ママ〕開拓青少年義勇軍幹部として〔中略〕渡満」したとのことである（黒岩「私の開拓の記」一七七頁）。

満蒙開拓青少年義勇軍は一九三八（昭和一三）年に、第一次隊員約二万二〇〇〇人を送出、翌一九三九年には、第二次隊員約九〇〇〇人を送出した（上『満蒙開拓青少年義勇軍』七五頁）。したがって、黒岩は第二次満蒙開拓青少年義勇軍の一員として渡満したということになる。満蒙開拓青少年義勇軍は、「六〇名で小隊をつくり、五箇小隊三〇〇名で一中隊を編成し、六箇中隊一八〇〇名で一大隊を編成するたてまえになっていた」が、「隊の基礎単位は中隊で、〔中略〕中隊長は自分の中隊とともにやはり海を渡って、現地訓練所の生活はもちろん〔義勇隊〕開拓団への移行も、少年たちと一緒にすることとなっていた」（上『満蒙開拓青少年義勇軍』五一頁）。黒岩が「満蒙開拓〔青少年〕義勇軍三〇〇人をひきいて」と言っているのは、黒岩がある中隊に属して、満洲に渡ったということを示している。

それでは、黒岩はどの中隊に属していたのであろうか。各中隊には幹部として、隊長一名、警備指導員一名、経理指導員一名、農事指導員一名が配置され、その他に畜産指導員や保健指導員が配置されている中隊もあった。各中隊は、満洲現地における三年間の訓練の後、ほぼそのまま「義勇隊開拓団」に移行して、各地に入植した。一九三九(昭和一四)年に送出された第二次義勇軍は、一九四二年に四三の第二次義勇隊開拓団に分かれて満洲各地に入植した(『満洲開拓史』二六四頁)。そのうち、長野県出身団員の所属する五つの義勇隊開拓団について、幹部の名前を調べたが、黒岩の名前を見出すことはできなかった(『長野県満州開拓史 各団編』の各所)。黒岩はそれら以外の義勇隊開拓団の幹部だったのか、あるいは準幹部のような立場にあったのかもしれない。

黒岩の妻、文子によれば、黒岩は、一九四四(昭和一九)年三月に召集令状が来て、満洲現地で応召したということであるから、黒岩の満洲滞在は実際には約五年間ということになる。

長野県開拓増産隊南佐久支隊

一九四六(昭和二一)年一月に沖縄から帰郷した黒岩は「(長野)県が野辺山高原に開拓団を入植させる計画をたてている、と耳にした」。これは長野県開拓増産隊のことで、主として満洲からの引揚げ者や復員兵士などの就労促進を目的として計画された。この年、長野県南佐久郡地方事務所は野辺山への入植希望者を募集、三三名を適格者と認めて、長野県開拓増産隊南佐久支隊(以下では、「増産隊」と略称する)を編成した。黒岩はその支隊長に任命された。増産隊は一九四六年五月八日に野辺山に入植したが、「当日冷気にわかに加わり降雪を見、一〇㎝におよぶ積雪と寒風は肌身にこたえ軽装の隊員を震えあがらせ」た（『野辺山開拓二十年史』一一頁）。野辺山は標高一三五〇メートル前後の高原で、年平均気温は八度、冬季には零下二〇度以下になることもあり、初霜は九月下旬、晩霜は六月上旬、根雪期間は一二月上旬から三月下旬までという高冷地であった（『戦後開拓史』四一四頁）。

前に書いたように、野辺山には陸軍東部五一部隊の農兵隊残留者たちが帰農して、「農産組合」を結成していた。それ以外にも、台湾製糖株式会社の台湾からの引揚げ者たちがビートの栽培などを計画して入植し、「野辺山開拓組合」を作っていたし、解放された国有林に入植した営林署関係者たちが「野辺山高原組合」を作るなど、計八つの入植組合が共存していた。中には、下諏訪教会の池田政一牧師によって創設された「クリスチャン農産組合」もあった。入植者は当初一五七戸にのぼったが、その後一二〇戸に減少、国が一戸当たり三ヘクタール（ほぼ三町歩）を割り当てたので、計三六〇ヘクタールの入植地となった。それぞれの入植組合ごとに分かれて陸軍東部五一部隊の旧兵舎を宿舎とし、板などで間仕切りをして各戸に割り当てた。旧兵舎は「駅北」の鉄道（小海線）線路沿いにあった。

黒岩の妻、文子は一九四〇（昭和一五）年に夫の後を追って満洲に渡り、満洲の開拓地で敗戦を迎えた。その後のことについて、文子は次のように書いている。

満洲開拓者の引揚げ事情は全く言葉や筆に尽せるものではありません。長女明美は私の背中でにげまどう中で死にました。私も勲も生きて帰れないかと思うようなことが何度かありましたが、〔昭和〕二十一年六月十九日、九死に一生を得て主人の生家臼田にたどりつきました。

主人も現地召集を受け沖縄におることだけはたった一度の通信で知ることができましたが、玉砕を伝えられた激戦地だけに、生死のことについてはほとんどわかりませんでしたが、悪い知らせは夢にもなく生きてどこかにいると信じていました。臼田駅についた時主人が達者で復員して野辺山の開拓者としてやっておることを聞かされた時には、よかったと思ったとたん体中の緊張が一度に抜け、その場に座り込んでしまいました。

その後引揚げの疲れで肋膜炎《ろくまくえん》になり入院やら通院で一年ほど休ませてもらい、〔昭和〕二十二年の七月野辺山へ登って来ました。長い兵舎を間仕切り、一部屋を借り受けて、野辺山開拓地の生活が始まったのです。水は十五米〔メートル〕も掘り下げた深井戸から、つるべで吸み〔ママ〕上げ、便所は一兵舎に一つしかない不自由な生活でした。（黒岩「私の開拓の記」一七七―一七八頁）

野辺山開拓農業協同組合の結成

一九四五（昭和二〇）年一一月九日に国が出した「緊急開拓事業実施要領」では、米、麦などのような穀類や大豆などの豆類の増産が主目標とされていた（『戦後開拓史』三四頁）。しかし、これらの作物の栽培は野辺山のような高冷地では困難であった。

入植者たちは、陸軍東部五一部隊が演習地にするために伐採した跡のカラマツの切株や巨岩の除去といった開拓事業の傍ら、春から秋にかけては蕨のような山菜やゲンノショウコのような薬草を採集・販売し、冬季には積雪の山に入って雑木を伐採、薪や炭にして販売するなどして生活を維持した。

一九四七年、増産隊など八つの入植組合の併存が開拓の障害になっていたことから、九月一六日、八組合が合流して「野辺山開拓団」を結成、黒岩競が団長に選ばれた。

一九四八年四月八日、農業協同組合法の施行にともない、野辺山開拓団は野辺山開拓農業協同組合に改組された。初代組合長は黒岩で、組合員は一〇五名であった。

この前年、長野県が住宅補助金の交付と住宅資金の融資を開始したこともあって、入植者たちも旧兵舎を出て、個別の家を建てて住むようになっていった。その際には、だいたい旧組合ごとにまとまって「部落」を形成した。野辺山駅近くには、増栄部落（増産隊）、豊ノ原部落（農産組合）、喜峯（希峰）部落、岳見部落（増栄と喜峯の間で野辺山駅の西に隣接）ができ、駅から少し離れて、矢出原部落（野辺山開拓組合）、七軒屋部落（野辺山高原組合）、二ッ山（双ッ山）部落ができて、計七部落となった（図2－1参照）。黒岩一家は、増産隊中心の増栄部落には入らず、二ッ山（双ッ山）に家を建てた。黒岩文子は次のように書いている。

〔昭和〕二十三年の暮もおしつまったころ、双ッ山〔二ッ山〕の現在の住宅に移りました。十五坪ほどの家でしたが、外側から荒壁一重だけ付けただけですから、すき間から粉雪が遠慮なく舞い込み、朝起きて見ると布団の襟ががばがばに凍っており、よく親子四人風邪も引かずに過ごせたものだと不思議に思いました。〔中略〕

電気が全戸にともったのは〔昭和〕三十二年十二月二十五日晩でした。電気がついた時の喜びは一通りのものではありませんでした。入植以来満十二年、文明の花開きはじめた生活に慣れた者にとって無灯火生活の不自由さ、みじめさは身にしみて味わいました。〔中略〕
それと道の悪いことはどうしても忘れることの出来ない一つです。出荷時期に長雨でも続けば、牛車の輪が沈んで車の腹がつかえて、牛も力尽きて横になって寝てしまい、大根やキャベツの荷を全部おろして一つ一つ道の良い所まで運んで、牛車を出して、また積んで駅や沢庵工場まで運んだこともありました。（黒岩「私の開拓の記」一七八頁）

黒岩競は、入植当初から、野辺山のような高冷地では、国から割り当てられた三ヘクタールの土地では安定的な農業経営はできないと考えていた。そのため、まだその三ヘクタールの開墾もおぼつかないような段階から、国有林などの解放を各方面に働きかけ続けた。黒岩が理想としたのは一戸一〇ヘクタールという北海道なみの経営規模であった（朝日新聞社編『前進する農民』八八頁）。一九四九年、黒岩らの努力が実り、文部省体育局の土地一二〇ヘクタール、農林省所管の国有地一四〇ヘクタール、南牧村の村有地一二〇ヘクタール、計三八〇ヘクタールの土地が野辺山開拓農協に解放され、総計七四〇ヘクタールの入植地となった（同、九〇頁）。これらの土地が各入植者に割り当てられた結果、耕地と付帯地（採草地）合わせて一戸平均約七ヘクタールの経営規模となった。

この年の四月一日、青果物統制が撤廃され、野菜類の販売が自由になった。穀類や豆類の栽培では成果が出なかった野辺山では、これを機として、市場向け野菜類の栽培が始まった。この年、野辺山開拓農協は野菜の共同出荷事業を開始、「甘らん〔甘藍、キャベツ〕(九五反)、美濃早生大根(七五反)、馬鈴薯〔ジャガイモ〕(五七反)で七二〇万余円の売上げ」があった(『野辺山開拓二十年史』三二頁)。一〇反で一町歩であるから、合計二二・七町歩、約二三ヘクタールの畑で三種類の野菜が市場向けに栽培されたのである。

ところが、一九五〇(昭和二五)年六月二五日、朝鮮戦争が勃発、朝鮮特需により都市部における工業生産が活性化すると、農村から都市部への労働力移動が起こり、野辺山でも入植農家が八七戸に減少した。この年、黒岩は自家経営に専念するために野辺山開拓農協の組合長を辞した。

2　高原野菜専業農業への道

野辺山「振興対策事業」(五カ年計画)の策定

野辺山開拓農協が高原野菜栽培の重点化に踏み切ったのは一九五三(昭和二八)年であった。前に書いたように、国の「緊急開拓事業実施要領」では、穀類と豆類の増産が主目標とされた。そのため、野辺山でも「入植五年を経過し穀しゅく〔穀菽《こくしゅく》。菽《しゅく》は豆類の総称〕農業の低収益性が漸く明確となった昭和二六年になってさえ、〔中略〕陸稲の試作が「営農指導」として行われたが悲惨な結果に終わった」。このような「立地条件を無視した農政の誤謬は永く開拓農家の自立に重大な支障を及ぼした」。しかし、穀菽農業が野辺山の自然条件に合わないことは明らかであったから、「国も昭和二八年に続く連続的な〔自然〕災害を契機として大きく営農方針を転換」し、「根物葉物の栽培と云う適地適産主義」が認められるようになった（『野辺山開拓二十年史』一一四頁）。

一九五三年、高原野菜生産を目標として、「振興対策事業」（五カ年計画）が策定された。その中心をなしたのは、⑴農地の交換分合、⑵酪農の導入、であった。

野辺山開拓地は、何度かに分けて土地が解放され、その都度各入植者に割り当てられたので、各農家の土地が遠く離れたいくつもの地片からなるという錯圃《さくほ》状況にあった。「振興対策事業」開始時には、入植農家八七戸中、五から九の地片に農地が分散している農家が五五戸もあった（『野辺山開拓二十年史』七八頁）。しかも、家屋は野辺山駅周辺に集まっていたので、家から農地への移動にも多大な時間がかかった。それを、農地の交換分合によって、各農家の土地を一箇所に「団地」化し、そこに家を建てることによって解決しようというのが「振興対策事業」の一つの主眼点だったのである。これには各農家の利害関係が複雑に絡むので、困難が予想されたが、「振興対策事業」（五カ年計画）完了時には、三つ以内の地片から構成される農家が七五戸となり、そのうち四九戸は「一団地」化した（同、七八頁）。この農地の交換分合に当たっては、⑴野辺山駅近くの既墾地の配分を受ける農家には一戸当たり八ヘクタール、駅から遠い未墾地の配分を受ける農家には一戸当たり一〇ヘクタールの土地を配分する、⑵駅近くの既墾地の配分を受ける農家は一〇アール（一アールは一ヘクタールの一〇〇分の一）当たり四〇〇〇円を未墾地の共同開墾資金として負担する、⑶家屋を移す者には、組合が四万円の補助をするほか、一戸当たり平均一〇万円を公的金融機関から借り入れる、⑷家屋の解体・運搬、新しい宅地の地均し、建て前などは全組合員が共同で行う、⑸道路・溝・防風林など環境条件の整備は国の補助などを受け、共同で行う、という方策がとられた（『戦後開拓史』四一五頁)。

この農地の交換分合と家屋の移転によって家々が分散し、野辺山は散村的景観を呈するようになった(分散前と分散後の集落の変貌については、小笠原論文の第1図と第2図に詳しい)。例えば、野辺山駅から東南方向に約二キロメートル離れた丸山地域や、丸山からさらに二キロメートルも東南に離れた三沢地域にも小集落ができた。三沢には八家族が増栄部落や豊ノ原部落などから移り住んだ。当時、三沢には「道路もなく畑もなし、ただ芝原とはしばみの林と山で」(『八ヶ岳おろし』一三一頁)、もちろん電気、水道は来ていなかった。移住した一人の主婦は「赤ん坊はいるし、とっても不安で一時はノイローゼのようになり、暗くなると小高い所にのぼっては遠く駅附近にかすんで見える灯(駅周辺には、当然ながら電気が通っていた)を見ては故郷のことを思ったり、本当に泣きました」(同、一二九頁)と言っている。もっとも、八家族「とてもまとまりがよくって、楽しかったことがいっぱいある」(同、一二四頁)と回想している主婦もいるのだから、人それぞれということかもしれない。

「振興対策事業」のもう一つの主眼点は酪農の導入であった。野辺山が「八ヶ岳集約酪農地域」に含まれたこともそれを後押しした。これにより、一九五三年、ジャージー種の乳牛二八頭が初めて導入された。酪農を導入して、牛乳の生産・販売に乗り出すとともに、牛の糞尿を利用して作った厩肥を農地に施すことによって、野菜生産を拡大することがめざされたのである。

高冷地農業のモデルに

このように、「振興対策事業」(五カ年計画)が目標としたのは野菜生産と酪農のいわゆる「混合(混

表 2-1　「振興対策事業」5 年間の成果(『野辺山開拓二十年史』78 頁の表を基に作成)

	1952(昭和 27)年度	1957(昭和 32)年度
穀類・豆類	71.5 町歩	35.0 町歩
野菜類	55.4 町歩	117.4 町歩
青刈飼料	1.5 町歩	10.1 町歩
乳　牛	0 頭	141 頭
役牛馬	65 頭	92 頭
緬山羊	137 頭	87 頭
販売収入	1698.6 万円	4276.1 万円

表 2-2　農業収入の増大(万円以下切り捨て.『野辺山開拓二十年史』145 頁の表を基に作成)

	白　菜	キャベツ	レタス	牛　乳
1957(昭和 32)年	363 万円	445 万円	217 万円	346 万円
1965(昭和 40)年	10336 万円	5117 万円	5865 万円	1784 万円

同)農業」で、その五年間の営農上の成果は表2―1に見ることができる。

この「混合(混同)農業」は、野辺山のような高冷地における「適地適産農業」のモデルと認められるようになっていった。

なお、この「振興対策事業」進行中の一九五五(昭和三〇)年に、南牧開拓地の一〇戸が野辺山開拓農協に加わり、組合員は九七戸となった。この戸数はその後長く変わらなかった。また、一九五六年には、黒岩競が野辺山開拓農協の組合長に復帰し、その後長くその職責を担った。

一九六四(昭和三九)年二月、野辺山開拓農協は、高冷地農業確立の功績により、第一回朝日農業賞を受賞した(前出の朝日新聞長野支局記者による黒岩へのインタヴューはこの受賞を機に行われたものである)。

表2―2は野辺山における「振興対策事業」完了以後の高冷地農業(「混合(混同)農業」)の発展をよく示している。ただし、その後、酪農の比重はし

だいに低下していき、高原野菜専業農業化が進んだ。

おわりに

満洲移民や満蒙開拓青少年義勇軍が日本の帝国主義的中国侵略の一翼を担うものであったことは否定できない。しかし、それにもかかわらず、敗戦後、日本軍(関東軍)に見捨てられて満洲に取り残された開拓民や義勇軍隊員が経験したあまりにも過酷な状況は今なお忘れてはならないことである。しかも、その渦中をなんとか生き延びて帰国することができた人々には、もう一つの試練が待ち受けていた。日本に帰ってきても行き場がなく、多くの人々は、政府の「緊急開拓事業」により、標高一〇〇〇メートルを超えるような高冷地に入植する他なかったのである。しかし、入植者たちの長年に亘る辛苦と努力により、これらの入植地の多くは、今日、高原野菜の産地として、私たちの食卓に多くの野菜を供給している。私たちの食生活はこのような歴史に支えられて、成り立っているのである。

参考文献

朝日新聞社編『前進する農民――朝日農業賞・七集団の実態報告』朝日新聞社、一九六四年。

小笠原節夫「高冷開拓地・八ヶ岳山麓野辺山における集落の変貌」『人文地理』一四巻一号、一九六二年。

上笙一郎『満蒙開拓青少年義勇軍』中公新書、一九七三年。

黒岩文子「私の開拓の記」『八ヶ岳おろし――開拓婦人の記録』(野辺山開拓四十周年記念)所収。

『戦後開拓史』戦後開拓史編纂委員会編、一九六七年。

『長野県満州開拓史 各団編』長野県開拓自興会開拓史刊行会編、一九八四年。

『野辺山開拓二十年史』野辺山開拓農業協同組合編、一九六八年。

『満洲開拓史』満洲開拓史刊行会編、一九六六年。

『八ヶ岳おろし――開拓婦人の記録』(野辺山開拓四十周年記念)、野辺山開拓農業協同組合婦人部編、一九八五年。

第3章 ラグビーは世界史の産物です

木畑洋一

はじめに――ワールドカップ東京大会（二〇一九年）

二〇一九年に日本でラグビーのワールドカップが開催された。アジアで初めて開催された大会であることと、当時は翌年に予定されていた東京オリンピックの前哨戦という意味を与えられたこと、さらに日本チームが予想を上回る活躍をみせたことによって、このワールドカップは大きな関心を呼び、それまでラグビーに縁遠かった多くの人々がこの競技に興味を抱くきっかけとなった。他ならぬ筆者もその一人である。

このワールドカップに際してなされていた解説のなかでしばしば強調されていたのが、ラグビーがイギリスで生まれ、イギリス帝国のなかで育った競技だという点である。実際、ワールドカップの様相にはラグビーを育んだイギリス帝国の歴史がさまざまな形で反映されていた。

その歴史は、二〇一九年大会の参加国の顔ぶれにまずよくあらわれていた。参加したチームの数は二〇であったが、その内次の一四が、何らかの意味でイギリス帝国に歴史的に関係していた国や地域であった。

イングランド、スコットランド、ウェールズ、アイルランド、ニュージーランド、オーストラリア、南アフリカ共和国、フィジー、カナダ、トンガ、ナミビア、サモア、米国、アルゼンチン

若干の説明を加えておこう。まずイングランドからアイルランドまでの四地域である。これらは、イギリス(正式名称はグレートブリテンおよび北アイルランド連合王国)を構成する地域であるが、ワールドカップにはそれぞれ独自の代表を送ることができる仕組みになっている。この内アイルランドについていえば、現在アイルランドという名称をもつ地域としては、イギリスの一部である北アイルランドと独立国であるアイルランドとの二つが存在し、その二地域の合同チームがアイルランド代表になっている。二〇一九年は、一六年の国民投票でEU(ヨーロッパ連合)離脱の方向を選択したイギリスが、離脱の形をめぐってEUとの交渉を重ねていた時である。その交渉では、離脱後のイギリスとEUの境界線となる北アイルランドとアイルランドの国境線の問題が大きな争点となっていたが、そのような時、アイルランドの選手たちは一つのチームとして試合に臨んだのである。

さらにニュージーランド以下は、イギリス帝国の一部であったか、それに準ずる位置に置かれていたことがある国である。ナミビアとサモアは第一次世界大戦まではドイツ領であったが、大戦後、国際連盟のもとで作られた委任統治制度によってそれぞれ南アフリカとニュージーランドの委任統治地域となった歴史をもつ。また米国が一八世紀半ばまでイギリス領であったことはいうまでもないし、アルゼンチンはイギリスの公式の領土になったことこそなかったものの、経済的にイギリスの強い影響力のもとに置かれ、「非公式帝国」(公的・制度的に支配下に置かれていなくても、経済的影響力

の行使などで実質的に従属的位置にある地域）の一部と見なされていた国である。

また、このワールドカップでの活躍が話題となった日本チームのメンバーは、旧イギリス帝国関係国出身の選手を多く含んでいた（日本国籍取得者も、非取得者もいた）。三一人の登録選手中一六人と過半数を占めた外国出身者の内訳は、ニュージーランド五人、トンガ五人、南アフリカ三人、オーストラリア一人、サモア一人、韓国一人であった。イギリス帝国関係以外の国の出身者は韓国人選手ただ一人だったのである。

このワールドカップで優勝したのは南アフリカ共和国であったが、スプリングボクスという名前で知られるそのチームの主将が黒人であったことは、大きな注目を集めた。それというのも、南アフリカはかつてアパルトヘイトと呼ばれる人種隔離政策をとった国であり、差別、迫害の対象とされた黒人が国のチームの主将として戦いをリードすることなど、考えられなかったからである。この状況に至る南アフリカの変化については後述する。

このように二〇一九年のワールドカップに関わる若干の面に着目してみただけでも、ラグビーというスポーツの背景にイギリス帝国の歴史が広がっていることが分かる。以下本章では、ラグビーの発展過程を追うなかで、それを育てたイギリス帝国の歴史のいくつかの局面に分け入り、ナショナリズムや人種主義といった問題に人類が直面してきた「長い二〇世紀」（木畑『二〇世紀の歴史』）の世界史像を考える手がかりとしてみたい。

1　ラグビーの誕生とイギリス

ラグビーが誕生したのは、一九世紀の中葉、イングランドにおいてである。私立学校でありながら「パブリックスクール」と呼ばれるエリート養成校の一つラグビー校で行われていた競技から出発したのである。そして、本章の執筆にあたって筆者が依拠するところが大きかったスポーツ史家トニー・コリンズによると、「一八八〇年代初めにはラグビーは、パブリックスクール出身者だけでなく、港湾労働者から医者まで、非熟練工から弁護士まで、工場労働者から金融家まで、〔中略〕つまり人口の大部分の情熱の対象になっていた」（コリンズ『ラグビーの世界史』四二頁）。当初、同じくイングランド発祥のサッカーが労働者階級色を濃く帯びていたのに対し、ラグビーの方にはパブリックスクールにまつわるエリート色がつきまとっていた。イングランド代表とスコットランド代表の最初の「国際試合」が一八七一年に行われた時、両チームはともにパブリックスクール出身者で占められていたのである。とはいえ、階級を越えた広がりはその後顕著になっていった。

今「国際試合」という言葉を用いたが、それについては説明が必要である。イングランドとスコットランドは同じイギリス（連合王国）という国を形成する地域であり、その間の試合は厳密に言えば「国際試合」ではない。しかし、スコットランドの人々は、自分たちの地域が独自の歴史的存在であるという自己認識の上に立つ「スコットランド・ナショナリズム」と呼べる意識を抱いていた。当時はナショナリズムが政治的に顕在化していなかったが（スコットランド・ナショナリズムを標榜する政党が誕生するのは一九二〇年代になってからである）、それはスコットランドの社会・文化の底に一貫して流れており、イングランドとの対抗戦にも、「国際試合」と呼べる性格が随伴することになったのである。

それはウェールズにおいても同様であったが、アイルランドではまた別の様相が見られた。アイルランドは一八〇一年にイギリスと「合同」したが、それまでの植民地的性格は強く残り、そこでのナショナリズムは、イギリスからの独立の方向を求める性格を一貫してもっていた。ラグビーはアイルランドにも入りこみ、プロテスタント(イギリスとの合同維持の姿勢をとる人々が圧倒的で彼らは「ユニオニスト」と呼ばれた)の間でもカトリック(イギリスからの自立を希求する人々が大多数で彼らは「ナショナリスト」と呼ばれた)の間でも広がったものの、カトリックの側ではそれをイングランドのスポーツと見なす傾向が強かった。一九世紀末には、アイルランド・ナショナリズムを推進する文化運動として、伝統的文化の復興をめざすゲーリック・リヴァイヴァル(ゲール人とは古代のアイルランドに住みついたケルト人)という動きが盛んになったが、その一環として作られたゲール体育協会は、アイルランドの伝統競技と考えられていたハーリング(スティックを用いるボール競技)の復興をめざす反面、サッカーやクリケットとともにラグビーを外来のスポーツであるとして禁止の対象とした(海老島「分断された社会におけるスポーツ」九八頁)。

アイルランド・ナショナリズムの高揚に直面したイギリス政府は、一八八〇年代以降三度にわたってアイルランドに自治権を与える自治法案を上程した。最初と二度目の法案は議会で退けられたが、一九一二年の第三次法案は議会を通過した。ユニオニストがそれに激しく反発して内戦勃発が懸念される事態が生じた際、アイルランド北部(ユニオニストが強い地域)でのラグビー選手のほとんどは、ユニオニスト側の軍事組織アルスター義勇軍に参加したという(コリンズ『ラグビーの世界史』七六頁)。アイルランドにおけるラグビーは、このようにナショナリズムと密接にからみあっていたのである。

2　イギリス帝国内での広がり

ラグビーが生まれた一九世紀中葉、イギリスはすでに広大な帝国領土をもち、その支配領域は、一八七〇年代以降の帝国主義の時代においてもアフリカを中心に拡大を続けた。そして、ラグビーは帝国支配の網にそって世界に広がっていった。とくに、イギリスからの移住者が作りあげた国であるオーストラリアやニュージーランドでの普及は著しかった。

一九世紀中葉のオーストラリアは、ヴィクトリア、ニューサウスウェールズなどの各州から成り、まだまとまった国としての形を成していなかったが、イギリスから遠く離れた植民地として独自の文化を育みつつあり、今なお盛んに行われているオーストラリアン・フットボールもすでに広がりを見せていた。そこに導入されたラグビーは、イギリス本国同様、当初は上流、中流階級のスポーツと見なされていたが、次第に労働者階級にも広がっていった。

ここで注目しておきたいのは、先住民アボリジナルとラグビーの関係である。アボリジナルは、植民者によって土地をうばわれただけでなく、もちこまれた天然痘などの病気に罹患して多く死んでいき、さらには植民者に直接殺害される者もいた。このように差別、迫害の対象となっていたアボリジナルは、ラグビーにおいても冷遇されており、オーストラリアのラグビーチームに最初のアボリジナルの選手が登場したのは、各州から成る連邦制国家として一九〇一年にオーストラリアが誕生した（ニュージーランドはそれまでオーストラリアの各州とならぶ位置にあったが、オーストラリア結成には加わらず、独自の国家となることを選んだ）後の、一九〇八年である（Korff, "Aboriginal timeline"）。

この点は、ニュージーランドの先住民マオリの場合と大きく異なった。マオリは、早くからラグビーの選手として活躍したのである。それは、イギリス帝国のなかにおけるアボリジナルとマオリの位置の差異を反映していた。イギリス人がオーストラリアに入植するに際して、先住民との間で条約が結ばれることはなかったが、ニュージーランドではアボリジナルよりも文化的に「進歩」していると見なされたマオリとの間で、一八四〇年に「ワイタンギ条約」と呼ばれる条約が結ばれた。この条約は英語版とマオリ語版で違いがあったが、イギリス人側は英語版での解釈に基づいて土地を獲得していった。それに対するマオリの反発の結果、ちょうどラグビーが渡ってきた頃には、「マオリ土地戦争」（「ニュージーランド戦争」一八六〇―七二年）が長期にわたって戦われる状況が生じていた。イギリス側は結果的に勝利したものの、マオリの抵抗の前に苦戦を強いられた。

このような力をもったマオリは早くからラグビー選手となった。一八八八年にはマオリを主体とするチームがイギリスに遠征を行っている。ただし、そのチーム構成は、両親ともマオリである者が少なくとも五名、父親が白人で母親がマオリである者一四名、出自が分からない者五名であった。そのため、それほど「マオリではない」という反応もあったという（Ryan, *Forerunners of the All Blacks*, p. 27）。ラグビーの試合前に演じられるマオリの舞踊「ハカ」は、この遠征の際にもすでに用いられていたが、その後、一九〇五年にニュージーランドを国として代表するチーム(やはりマオリ起源の黒いユニフォームにちなんで「オールブラックス」と呼ばれるようになった)が初めてイギリス遠征を行うに際して演じたことで、よく知られるようになった(Palensky, *Rugby*, pp. 65, 114)。

オーストラリアやニュージーランドと異なり、イギリス人が移住していく以前から他のヨーロッパ人(オランダ系の人々でアフリカーナーと呼ばれる)が住み着いていた南アフリカでも、一八一五年以降イギリス領となっていたケープ植民地にラグビーは入っていき、イギリス系住民だけでなくアフリカーナーをも巻き込みながら広がっていった。

イギリスがアフリカーナーを敵として戦った南アフリカ戦争(一八九九―一九〇二年)で、苦戦の末にイギリスが勝利した後、イギリス系住民とアフリカーナーは協力関係に入って南アフリカ連邦という国を作りあげていくが、両者の関係を円滑にしていく上で、ラグビーは大きな役割を演じた。一九〇六年に南アチームがイギリスに遠征した際(この時南アチームはスプリングボクスと呼ばれるようになった)、キャプテンはアフリカーナーで、副キャプテンはイギリス系であった。この遠征が成功したことを見て、「老練な政治家でジャーナリストのJ・H・ホフマイヤーは、「彼ら――哀れな二流政治家や政治屋が――過去に同じことを空しくやろうとして、できずにいたのに対して」、遠征チームは「オランダ人とイギリス人をほぼひとつにし、人種的な統一に向かって大きな一歩を踏み出した」と叫んだ」という(コリンズ『ラグビーの世界史』一三三頁)。

南アフリカにおけるイギリス系とオランダ系の白人はこのような「人種的な統一」を行うことによって、黒人や他の有色人種を共通の支配対象として差別し抑圧した。その黒人たちは、一八九七年に南アフリカ有色人ラグビーフットボール・ボードという組織を作ったものの、南アフリカの代表には加われず、冷遇されつづけた(Pinsky, "The Early History of Rugby in South Africa")。そのような南アフリカの事情から、ニュージーランドのチームが南アフリカに遠征する場合には、遠征チームにマオリを入れないという「配慮」もなされた(Chandler and Nauright, eds., *Making the Rugby World*, p. xv)。

このように、ラグビーはイギリス帝国内の移住植民地における白人のスポーツとしての性格を濃厚に帯びながら、イギリスを中心とする帝国の統合を支える機能をもった。一八八八年にマオリを主体とするチームがイギリスに来た直後の『ザ・タイムズ』紙の記事では、その点が次のように表現されていた。

> 一つの見方からすれば、それ〔マオリチームの来訪〕はわが国の植民能力の証である。植民地化した国の原住民に国民的ゲームに対する愛情を注ぎ込むことができる植民人種は、こうした国における社会的融合という問題を解決したように思われる。〔中略〕植民地においてイギリスのゲームの人気が高いのは驚くべき現象であり、それは帝国のさまざまな部分の間での共感の絆となる。ただし、その強さはまだ完全には理解されていない。(Ryan, *Forerunners of the All Blacks*, p. 50)

スポーツによる帝国統合という機能はクリケットの場合に最も明確であったが(石井「フィールドのオリエンタリズム」)、ラグビーにおいても顕著に見られたのである。ただし、移住植民地とは違ってごく少数の白人が圧倒的多数の先住民を支配する形となったインドでは、クリケットが根付いたのに対し、ラグビーは広がらなかった。

ちなみに、日本でラグビーの試合が初めて行われたのは一八七四年で、イギリスの船員が横浜でプレーした。そしてラグビーチームができたのは一八九九年、慶應義塾大学においてであった(Nish, "Britain's Contribution to the Development of Rugby Football in Japan")。その三年後の一九〇二年、日本はイギリスと日英同盟を結び、イギリス帝国をモデルとする帝国支配国への道を歩んでいくことになる。

3　アイルランド南北分割とラグビー

帝国主義の時代に世界最大の帝国となったイギリス帝国は、第一次世界大戦以降、動揺し、解体の道をたどっていった。その過程でラグビーが演じた役割を、本章の「はじめに」で指摘した、南北アイルランドから成る統一チームの問題と、南アフリカチームにおける黒人の位置という問題に即して検討してみたい。まず本節ではアイルランドを取りあげる。

イギリス帝国内で領土が独立した早い例が、第一次世界大戦直後のアイルランドであった。すでに述べたように、第一次世界大戦が始まる前、アイルランドでは自治の方針をめぐって内戦の危機が迫っていた。しかし、大戦が勃発したことにより、ユニオニスト(プロテスタント)はアイルランド内部の問題よりもイギリスの戦争への積極的協力を重視するようになり、ナショナリスト(カトリック)の側でも戦争協力に踏み切る人々が多く出てきたため、内戦の危機は回避された。ただ一部のナショナリストは、戦争を好機として独立を実現しようと目論んで、一九一六年に「イースター蜂起」という反英反乱を引き起こした。この反乱自体はすぐに鎮圧されたものの、それをめぐるイギリス政府の対応はアイルランドのナショナリズムに火をつける結果となり、戦後期にかけて「アイルランド独立戦争」と呼ばれる戦いがくり広げられた。この情勢をおさめるためにイギリス政府は、アイルランドを南北に分割し、カトリックが圧倒的に多い南部にのみ独立を与えるという方策を選択した。その結果、一九二二年にアイルランド自由国(国名は後にアイルランドとなるが、以下地域名と区別するためアイルランド共和国と表記)が誕生した。

本章の主題に関わって重要なのは、アイルランド島がこうして南北に分割されても、ラグビーの競技団体が分割されることはなかったということである。アイルランド・ラグビーフットボール連合は、ラグビー競技の運営をあくまでも伝統的なアイルランド島全域の各地方(全三二州)を基礎として行っていくという姿勢を堅持したのである(O'Callaghan, "Rugby and Identity Politics in Free State Ireland", p. 156)。こうして今日に至るまでアイルランドの統一チームがプレーすることになった。ただし、選手層はプロテスタントの側が厚く、アイルランド・ラグビーフットボール連合の歴代会長も、多くがプロテスタント(北アイルランドのプロテスタントに加え、アイルランド共和国内のプロテスタントも含む)であった(Ibid., pp. 158–159)。

南北に分割されたなかでの統一チームがさまざまな困難を抱えたことはいうまでもない。とりわけ、一九六九年から九八年まで多くの流血を伴いながらつづいた北アイルランド紛争は、深刻な状況を生んだ。紛争そのものは、北アイルランドでのプロテスタントとカトリックの間の争いであったが、南のアイルランド共和国は北のカトリック勢力を支える力となり、南北の関係も緊張をはらんだのである。その緊張がラグビーにも及ぶなか、それを和らげるべくさまざまな努力が払われることによって、チームの統一は維持されていった。

努力の一例として一九七二年の「血の日曜日事件」直後の事態をあげてみよう。これは、北アイルランドのロンドンデリーで、デモ行進中のカトリック系市民に対してイギリス軍が発砲し、一三人が死亡したという事件である。中立的立場を標榜しつつ紛争に介入していたが、実際上はプロテスタント側に与していたイギリス軍によるこの事件は、アイルランド全島に激しい衝撃を与えた。ちょうどその時、北アイルランドのベルファストのラグビーチームが、試合のために南の共和国に赴いたのである。南では、試合に際して、この事件での犠牲者を追悼する黙禱が予定されていた。北チームの選手たちは、カトリックの犠牲者を悼むこの黙禱に加わると、北の一部の人々をひどく怒らせることになると思い、どうすべきか頭を痛めた。その時南側から行われたのが、南のあるラグビー選手が逝去したのでその人のために黙禱してほしいという要請であった。黙禱はそのためであったと言えるようにとの南側の配慮であり、北の選手たちは喜んでそうしたというのである。このような配慮のおかげで、北アイルランド紛争中、南北チーム間の試合が紛争のためにキャンセルされたことは一度もなかったという(English, *No Borders*［電子ブック］, 1178, 1239/6515)。

4　南アフリカのアパルトヘイトとラグビー

南アフリカでは、第二次世界大戦後、イギリス帝国の他の地域で独立への動きが進行する時期に、それまでも顕著であった人種隔離・人種差別が強化された。アパルトヘイトを推進する法制が一九四八年以降次々に整備されていったのである。この南アフリカの政策は、当然のことながら国際的に激しい非難にさらされ、スポーツ界においても、南アフリカはボイコットの対象とされた。オリンピックの場合、六〇年のローマ大会までは参加を認められていたものの、六四年の東京大会からは参加できなくなり、その状態は、八八年のソウル大会まで続いた。ラグビーでも、アパルトヘイトがまだ継続していた八七年にオーストラリアとニュージーランドの共催で第一回ワールドカップが開かれた時、南アフリカは参加できなかったのである(九一年の第二回大会にも参加できなかった)。

ただラグビーの場合、スプリングボクスの海外への遠征は行われていた(Booth, "Hitting Apartheid for Six?", p. 480)。一九七一年に当時の南ア首相ジョン・フォルスターが議会において、スプリングボクスは「南アフリカの白人の代表」であると強調したことに見られるように(Chandler and Nauright, eds., *Making the Rugby World*, p. 183)、黒人の参加していないスプリングボクスが、南アフリカにおける白人の優位を正当化し宣伝していく役割をも負わせられていたのである。ちなみに、スプリングボクスに黒人選手が初めて加わったのは、一九八〇年のことであった。

こうしたスプリングボクスの海外遠征が国際的な批判を招き、行く先々で抗議の声があげられたのは不思議でない。たとえば、一九七〇年のイギリス、アイルランド共和国への遠征に際して、アイルランド共和国では、デヴァレラ大統領が試合への招待を断って首相もそれにならったし、運輸組合は南アチームの輸送を拒否する指示を出し、アイルランド公共放送の労組は試合中継を阻止する行動計画を立てた(English, *No Borders*［電子ブック］, 1062–1077/6515)。

スプリングボクスがニュージーランドに遠征した時、マオリが強く反応したことはいうまでもないが、その反応はマオリ自体の処遇をめぐるニュージーランド社会への批判をも誘発した。一九八一年にスプリングボクスがやってきた時、ニュージーランド議会のあるマオリ議員は、「この国の多くのマオリは、他ならぬこの地でアパルトヘイト的態度を感じてきた」と述べた。マオリ解放運動の指導者はより端的に、「我々は〔南アの黒人〕同様に奴隷である。もちろん収入は少しよく、住まいの方も少しよいかもしれないけれど、帝国主義のもとでの奴隷であることに変わりはないのだ」と言い切っている(Shilliam, *The Black Pacific*, p. 61)。

一方、南アフリカに他国のチームが遠征してきた際、南アフリカの黒人やカラード(混血の人々を指し、やはり差別の対象となっていた)が、自国チームではなく敵側を応援することも多かった。

このような状況は、一九九一年にアパルトヘイトが制度的に終わりを迎え、九四年に黒人大統領ネルソン・マンデラが就任するなかで、大きく変わった。南アフリカの国際社会復帰を示す徴の一つとして、九五年に南アフリカでワールドカップが開催され、しかもそこではスプリングボクスが優勝したのである。その際、同チームの黒人選手はただ一人であったが、それでもマンデラ大統領は、スプリングボクスは「南アフリカ全体」の代表であると語り(Chandler and Nauright, eds., *Making the Rugby World*, p. 188)、黒人もカラードもその勝利を祝ったのである。その四半世紀後の東京大会で、黒人主将のもと、スプリングボクスが優勝をおさめることになる。

おわりに――世界史への通路

このようにラグビーの歴史を少しひもといてみただけでも、イギリスという国やイギリス帝国の歴史のひだに入りこみ、ナショナリズムや人種問題といった、世界の人々が歴史のなかで抱えてきた問題を考えていく糸口をつかむことができる。ラグビー・ワールドカップ東京大会の次の年に開催される予定であった東京オリンピックは、コロナウイルス禍のために二〇二一年に延期して開催されたが、改めて強調するまでもなく、オリンピックは二〇世紀以降の世界史のさまざまな局面を映し出している。たとえば、一九三六年のベルリン・オリンピックは、第二次世界大戦への道の曲折を考える上での重要な手がかりとなる(青沼『ベルリン・オリンピック反対運動』)。世界史に接近する通路は、こうして至るところにころがっているのである。

一方、本章で検討したような、アイルランドの人々やマオリ、さらに南アフリカの黒人がラグビーにどう関わってきたかという歴史を少しでも意識しておけば、ワールドカップをはじめとするラグビーの試合に接する時の視線にも、何らかの違いが出てくるであろう。ラグビーを楽しむために、歴史が必ず必要というわけではないとしても、歴史を知っておくのに越したことはないのである。

参考文献

青沼裕之『ベルリン・オリンピック反対運動——フィリップ・ノエル＝ベーカーの闘いをたどる』青弓社、二〇二〇年。

石井昌幸「フィールドのオリエンタリズム——K・S・ランジットシンとわれわれの帝国」有賀郁敏ほか『近代ヨーロッパの探究8　スポーツ』ミネルヴァ書房、二〇〇二年。

海老島均「分断された社会におけるスポーツ——アイルランドにおけるスポーツのシンボリズムと文化的多様性に対する寄与に関する研究」『スポーツ社会学研究』六号、一九九八年。

木畑洋一『二〇世紀の歴史』岩波新書、二〇一四年。

コリンズ、トニー『ラグビーの世界史——楕円球をめぐる二百年』北代美和子訳、白水社、二〇一九年。

Booth, Douglas, "Hitting Apartheid for Six? The Politics of the South African Sports Boycott", *Journal of Contemporary History*, 38-3, 2003.

Chandler, Timothy J. L. and John Nauright, eds., *Making the Rugby World: Race, Gender, Commerce*, Frank Cass, 1999.

English, Tom, *No Borders: Playing Rugby for Ireland*, Arena Sport, 2018.

Korff, Jens, "Aboriginal timeline: sport", 2022（https://www.creativespirits.info/aboriginalculture/history/australian-aboriginal-history-timeline/sport）.

Nish, Alison, "Britain's Contribution to the Development of Rugby Football in Japan, 1874-1998", J. H. Hoare, ed., *Britain and Japan: Biographical Portraits*, Vol. III, Japan Library, 1999.

O'Callaghan, Liam, "Rugby and Identity Politics in Free State Ireland", *Éire-Ireland*, 48-1/2, 2013.

Palensky, Ron, *Rugby: A New Zealand History*, Auckland University Press, 2015.

Pinsky, Simon, "The Early History of Rugby in South Africa", 2014（https://www.sahistory.org.za/article/early-history-rugby-south-africa）.

Ryan, Greg, *Forerunners of the All Blacks: The 1888-89 New Zealand Native Football Team in Britain, Australia and New Zealand*, Canterbury University Press, 1993.

Shilliam, Robbie, *The Black Pacific: Anti-colonial Struggles and Oceanic Connections,* Bloomsbury, 2015.

Smith, Sean, "Rugby Union: How the imperial settlers carried an oval ball from the Pampas to Pacific", *The Independent,* 30/9/1999.

第II部

「見たくない過去」を語ろう

人類の歴史には、明るい面もあれば、振り返りたくないような暗い面もある。とりわけ、現在争いの種となっていたり、人々の不安をかきたてたりしている事態につながる過去からは、眼がそむけられがちになる。それをいいことに、自分たちに都合の悪い歴史を隠蔽して、現在にまで続く問題を糊塗しようとする動きも多い。

その典型例は、植民地支配や戦争がもたらした被害を、加害側が否定したり軽視したりすることであろう。日本の植民地支配のもとでの朝鮮の人々の苦しみに、日本の為政者は向き合おうとせず、「見たくない過去」に蓋をしつづけている。一方、米国の原爆投下に関して、米国の為政者は、核兵器の威力を強調する反面、核被害の実態は直視しようとしてこなかった。

「見たくない過去」を隠したい人々が、情報の隠匿や文書の改竄《かいざん》を行うことには、警戒が必要である。また、沖縄と本土の間では、沖縄の声を軽視する行為が繰り返されてきたが、そうした歴史のパターンにも注意を払いたい。

（木畑洋一）

第４章　日韓関係の未来を歴史問題からはじめよう

庵逧由香

はじめに――「スミス」と呼ばれる日

「なぜ韓国は「反日」か。もしも日本が他国に占領され、（創氏改名政策によって）「今日から君はスミスさんだ」と言われたらどう思うか」

石破茂・元自民党幹事長が二〇一九年一〇月の講演で、「戦後最悪」とまで言われた日韓関係の改善を訴え語った言葉である（https://digital.asahi.com/articles/ASMB563Y0MB5UTFK00D.html 二〇二一年三月二七日閲覧）。前年の二〇一八年一〇月には、韓国人の戦時労働被害者が日本企業を訴えた韓国の民事裁判で、史上初めて原告の全面勝訴が確定した。いわゆる「徴用工裁判」である。これに反発した日本政府が、この韓国の国内裁判の結果を外交問題化させたが韓国政府もこれに反発、相互に経済関係や軍事関係で報復措置をとるなか、政府間対立は激化していた。

日韓の間では、一九六五年の国交正常化以降、いくども「歴史問題」をめぐり政府間で摩擦が起こってきた。ここで言う日韓の「歴史問題」とは、近代日本の植民地支配や戦争に端を発する諸問題の総称である。日本は日露戦争に乗じて軍事力により大韓帝国(当時)を保護国化し、一九一〇年からは日本の植民地として朝鮮半島を支配した。一九四五年に日本の敗戦により朝鮮は独立するが、その過程で南北二つの国家(大韓民国・朝鮮民主主義人民共和国)に分断されてしまった。戦後日本は韓国側とのみ国交正常化したものの、「歴史問題」はいまだに解決されたとは言えない状況である。代表的な「歴史問題」として、日本政府要人の植民地支配肯定発言問題、教科書問題、日本軍「慰安婦」問題、上記の「徴用工」裁判を含む戦時強制動員・強制労働問題などがある。石破の言う創氏改名とは、植民地下の一九四〇年に、朝鮮人を日本式の氏制度に組み込むために「氏」を創設させた政策で、韓国でも日本による代表的な悪政として知られている。日本は植民地支配を「した側」、韓国は「された側」である。日本が逆の立場に立たされたら、一体どんな気持ちになるのか――。相手の立場に立ってその痛みや怒りを想像することは、確かに関係改善の大切な第一歩となるだろう。

だが、日本の植民地支配や戦争が終わってから八〇年近くたち、日韓国交正常化から六〇年近くたったにもかかわらず、なぜ現在まで、「歴史問題」が外交問題になっているのか？　根本的な問題はどこにあるのか？　なぜ「韓国」はいつまでも抗議し、日本は「解決した」と言いつづけるのか？　いったい、いつになったら双方が納得いく形で解決できるのか？　そんなふうに思っている人は、少なくないのではないだろうか。

本章では、こうした日韓の「歴史問題」の対立構造やその変遷の歴史を見ることで、解決の道を考えてみたい。争点となっている近代や植民地の歴史を知ること、そして日韓対立の歴史を知ることは、数十年にわたり対立してきた「歴史問題」をときほぐしていくために、まず理解しなければならない課題だと言える。

本論に入る前に、いくつか重要な論点を確認しておこう。まず「歴史問題」と言うと複雑に見えるが、解決の方向性を考えるうえでは、大きく二つに分けるとわかりやすいだろう。①植民地支配や戦争をめぐる歴史認識の問題、②植民地支配や戦争動員により生じた被害とその補償問題、である。この二つの問題は、相互に切りはなせない表裏一体の問題であると同時に、目標とするゴールは少し異なる。①は、東アジアで平和な友好関係を築くうえで、教育・研究など長期的な視野で取り組むべき問題であり、②は、被害者の人権や尊厳の回復が最優先されるべき問題である。また、本章では紙幅の関係上、日韓関係のみを扱うが、朝鮮半島のもう一つの国である朝鮮民主主義人民共和国とも、日本はいまだに国交さえ正常化されないまま、同じ「歴史問題」解決の課題を抱えていることは、前提として押さえておきたい。

1　植民地支配や戦争をめぐる歴史認識は対立している？

人々の間で共有される歴史認識は、客観的史料をもとに検証・分析された歴史的な事実に基づく必要がある。一つの事象をどのように評価し認識するかは、その事象を見る立ち位置や分析方法によっても異なりうる。しかし異なる歴史認識を持つ人間どうしであっても、その認識が客観的な史料や論理的な分析に基づくものであれば理解し合うことができるし、議論・対話・交流を通じて互いの認識内容を豊かにし合うこともできる。つまり、歴史認識が異なるからといって、必ずしも対立することはないのである。

それでは歴史問題にかかわる歴史認識の基礎となるべき、植民地支配や戦争動員の事実確認・評価は、歴史学研究ではどうなっているのだろうか？ 日本と韓国の双方で、戦後から現在にいたるまで、植民地支配や戦争動員の構造・実態を分析した実証的な研究は数多く行われてきた（朝鮮史研究会編『朝鮮史研究入門』緒論、第六―七章）。たとえば、日本による植民地化過程、植民地統治制度、農業・工業などの植民地経済政策、戦時労働力・兵力動員政策、などである。関連する史料の発掘や実証的研究は、韓国より日本の方が早くからはじまっていた（庵逧「植民地期朝鮮史像をめぐって」）。結論から言うと、歴史学研究の分野では、日本と韓国のそれぞれの学界で「通説」「主流」とされる研究や見解は、問題意識の違いはあれ、基本的には対立しているわけではない。それどころか近年では、日韓で互いの研究成果を引用し合い、さまざまな分野で共同研究が行われ、その成果も数多く刊行されている。

戦前の日本の朝鮮史研究は、日本が朝鮮を植民地統治しているという状況のもとで、「朝鮮は日本より進歩が遅れている」と強調して、植民地支配を正当化し支えるような歴史観が、研究でも歴史教育でも主流となっていた。戦後日本の朝鮮史研究は、そうした戦前のいわゆる「植民史観」を深く反省し、その克服を課題として、実証的かつ科学的な研究を目指してきた（旗田『日本人の朝鮮観』）。

具体的な研究成果としては、たとえば、日本の朝鮮植民地支配が戦争や軍事力を背景として行われ、朝鮮の人々の独立運動や国家建設を弾圧してきたこと、諸政策が専制的な統治制度のもとで行われたこと、朝鮮の人々の政治的権利が日本人に比べてなかったこと、社会的にも朝鮮に対する厳然とした差別があったことなどが、主に日本側の公文書史料をもとに実証的に明らかにされている。また戦時期には、戦争遂行を唯一の目的として日本政府が作成した動員計画に基づき、朝鮮の人々が朝鮮内だけでなく日本・満洲などの軍需産業に、計画的・政策的に動員された。志願兵や徴兵などの兵力動員や日本軍「慰安婦」の実態についても、少なからぬ史料や研究がある。これらの研究成果を根拠として、植民地支配や戦争を「二度と起こしてはならない」と批判的に検証しようとする見解が、学界の「主流」だと言える。このことは、日本で何冊も出版されてきた朝鮮史研究者による朝鮮の歴史、特に通史の中の植民地時期に関する記述が、大枠で上記のような見解で共通していることからも見てとれるだろう(章末「参考文献」参照)。またその内容は、韓国で出版されている通史や植民地期の歴史書の内容とも、「対立」と言えるような違いは見られない。もちろん、部分的には論争があったり、議論が分かれる評価もあるが、学問研究としては当然のことであり、自然な範囲である。

一方で、こうした学界の「通説」に対して、戦前の「植民史観」と通底するような「植民地支配肯定論」が、日本、韓国ともに国内で出てきている。特に日本では、植民地支配や戦争の評価をめぐる対立は、日韓の間よりも、むしろ国内でより先鋭化している。日本で台頭してきた「植民地支配肯定論」や「戦争肯定論」は、客観的な立証が行われていない非学術的な論法により、研究者の研究成果を否定したり、批判するものが多い。また、日本の研究者が実証的に積み上げてきた知見や見解に対して、日本に批判的だという理由だけで、「反日だ」「自虐だ」といったレッテルを貼ろうとする。学術研究は、政府見解にかかわりなく、あくまで史料や学術的な蓄積に基づき行われるものであるから、こうしたレッテル貼りは、客観的な判断による態度とは言えないだろう。こうした見解は、通説として認定されてきた事実や分析を否定・修正しようとすることから、「歴史修正主義」「歴史否定主義」とも呼ばれている。特にインターネット上では、実証的な根拠が提示されないまま「コピペ」によってこのような主張が拡散されているのが現状である。植民地支配に対する見解をめぐっての「学術的な議論」はもちろん可能だし実際に行われているが、根拠のない思い込みだけの主張に対しては、警戒する必要があるだろう。

2　政府見解の日韓対立

植民地支配に対する政府見解

日韓政府の歴史問題に関する見解や立場は、学術的な成果に基づくというよりは、基本的にそれまでの二国間関係や経済的・軍事的な国益の観点、またその時々の国際情勢や政権の政策方針などにも大きく規定される。歴史問題にかかわる日韓対立においては、両国の政府見解の対立が、最も根深く、激しいと言わざるをえない。むしろ、政府間の見解対立が、歴史問題をめぐる日韓対立の根本的な原因である、と言っても過言ではない。

両国政府の見解の対立点はいくつかあるが、最大の対立は、一九一〇年から一九四五年までの日本の植民地支配に対する見解である。具体的には、大韓帝国(当時)の日本への完全併合を決定づけた一九一〇年の「韓国併合に関する条約」やそれ以降の法令に関して、日本政府は「合法」なもので植民地統治も合法的に行われたと主張し、韓国政府は軍事力を背景とした強制によるもので「無効」であり、植民地支配は不法に行われたものと主張している。

この併合条約の合法・無効をめぐる政府間対立は、両国が国交正常化の交渉をはじめた一九五一年から現在まで、平行線のまま続いている。一九五一年から一四年もかかった日韓国交正常化のための交渉過程で、交渉が難航した論点の一つである。最終的には両国政府が互いの立場を譲らなかったため、対立を残したまま、条約の表現をあいまいにする妥協策をとった。すなわち、一九六五年の「日本国と大韓民国との間の基本関係に関する条約」(「日韓基本条約」)で、旧条約を「もはや無効である」とし、「無効」がはじまった時期をあいまいに表現することで、両国政府がそれぞれの立場で異なる解釈ができるようにしたのである。

日韓国交正常化の交渉過程では、植民地支配や戦争被害にかかわる賠償や補償についても政府間で議論された。日本が戦争により被害を与えた国々に対する賠償は、サンフランシスコ平和条約(一九五一年調印)によりフィリピン、ベトナムなど一部の調印国に対しては行われることになった。しかし講和会議に参加を希望した韓国・朝鮮民主主義人民共和国は連合国ではないという理由で招請されなかった。そのため、戦争被害や植民地支配にかかわる両国との賠償問題は未解決のままで、日韓の国交正常化交渉が行われることになったのである。

韓国側は、植民地支配は不法との立場で植民地支配清算や戦争被害にかかわる請求権を主張した。日本側は、朝鮮統治は国際法上合法という立場から韓国側の主張を拒否し、逆に日本人が朝鮮半島に残した財産に対する請求権を主張した（吉澤『戦後日韓関係』三二四頁）。しかしこの対立は、最終的には両国政府や米国の政治的思惑もからみ、日本政府が提案した「賠償という言葉は使わず、経済協力で解決する」という政治的妥結が行われた。その結果、基本条約と同時に締結された「韓国との請求権・経済協力協定（略称）」には、「請求権に関する問題が（中略）完全かつ最終的に解決された」という一文が条文に入ることになった。こうした政治的妥結によって、この国交正常化にともなう条約の中では結局、植民地支配・戦争の被害に対する謝罪と補償の問題が、いっさい含まれなくなったことは、太田修や吉澤文寿なども指摘している。ちなみに、条約締結後に韓国政府は、個人補償を行うために対日民間補償法を制定し、民間人の対日補償問題を韓国内で一括して処理することとした。しかしその対象や実施期間が非常に限定的であったため、ごく一部の被害者が少額の金額を受け取る程度のものにとどまった。そのため、当時対象とはならなかった日本軍「慰安婦」をはじめとする多くの戦時労働力動員の被害者たちは、長い間、沈黙を余儀なくされることになった（太田『日韓交渉』三一八―三二三頁）。

この日韓国交正常化交渉の過程でも明らかになった日本政府の植民地支配に対する認識は、「日本による朝鮮に対する施政は、創氏改名や戦時動員など一部やりすぎた部分があったものの、朝鮮の経済的・文化的な向上と近代化のためになった」というものである（大蔵省管理局「朝鮮統治の性格と実績」『日本人の海外活動に関する歴史的調査』第三巻、高麗書林、一九八五年）。「朝鮮に貢献した」というこの認識は、植民地下で朝鮮の人々を対象に使われた歴史教科書でも繰り返されており、戦前の「植民史観」が戦後も引き継がれていたと言える。戦後の日本政府は公式見解として述べることはなくとも、ときおり日本の政治家や官僚によってこうした見解が発言されるたびに、韓国政府から強い抗議を受けてきた。戦前日本の支配・侵略に対する反省に関しては、日本政府は国交正常化後も信頼を回復することが基本的になかったと言える。

歴史問題に対する対応の変化

一方、歴史問題では政府認識が平行線のままの日韓関係も、貿易などの経済関係や日米韓安保体制にかかわる分野では、国交正常化後は隣国としての関係が少しずつ構築されていった。そうした中一九八二年には、教科書検定により歴史教科書におけるアジアへの「侵略」という記述を修正させたとの報道を受けて、日本政府は中国政府・韓国政府から「侵略を美化する軍国主義の表れではないか」との強い抗議を受けた。いわゆる「第一次教科書問題」である。これに対し日本政府は、「韓国・中国などの批判に耳を傾け、政府の責任において教科書の記述を是正する」との見解を発表し、これ以降は教科書検定基準に「近隣のアジア諸国との間の近現代の歴史的事象の扱いに国際理解と国際協調の見地から必要な配慮がされていること」という「近隣諸国条項」を取り入れる対応を行った。

また一九九〇年代に入ると、被害者のカミングアウトや研究者の史料発掘により日本軍「慰安婦」問題が国内外で注目を集めるようになった。日本軍「慰安婦」とは、戦時期に日本軍により広範な地域に設立された慰安所で、日本軍兵士への性的奉仕をさせられた女性たちをさす。この「慰安婦」問題に対する日本政府の対応は、これまでとは明らかに違っていた。日本政府は「慰安婦」問題に当時の政府が関与していたかについて、広範な政府機関の公文書を調査したうえで、「いわゆる従軍慰安婦問題に政府の関与があったことが認められた」(内閣官房内閣外政審議室「朝鮮半島出身のいわゆる従軍慰安婦問題について」平成四年七月六日)との発表を行った。この中では、慰安所の設置、経営、慰安婦の募集など各項目にかかわる公文書史料リストなど、きわめて具体的な調査結果が公表された(同「いわゆる従軍慰安婦問題の調査結果について」同)。

公文書により事実確認が行われたこれらの調査を受けて、日本政府は「従軍慰安婦」問題に対する「道義的責任」を認めた。加藤紘一官房長官(一九九二年)、河野洋平官房長官(九三年)が事実認定と謝罪を盛り込んだ談話をそれぞれ発表し、一九九四年には村山富市政権下で、政府が運営資金を提供して国民から寄付を集める「女性のためのアジア平和国民基金」(国民基金)を設立した。国民基金が解散する二〇〇七年までに、歴代首相(村山富市、橋本龍太郎、小渕恵三、森喜朗、小泉純一郎)が「元慰安婦の方々への内閣総理大臣のおわびの手紙」に署名している。日本政府が「慰安婦」問題に対してのみこのような対応をした背景には、この問題が日韓交渉の中で議論の対象から外れていたこと、未成年で性売買に従事させられた被害者が含まれるなど明らかに当時の国際法に違反していたこと、被害者を中心とする戦後補償を求める国際的な動きが活発になっていたこと、などが挙げられよう。

しかし、韓国・朝鮮人の戦後補償に対しては、日本政府は一貫して植民地合法論に基づき、「当時は日本人として日本人と同様に働いたのであり、日本にはこれに補償金を支払う法的根拠はない」とみなしてきたことは、複数の国会答弁記録からも見てとれる。つまり、日本の統治下では朝鮮人も、日本人と同様に日本の政策・法制に従うことは当然で、一般人に対する戦争被害の補償は日本人には行っていないため、朝鮮人に対しても行う必要はない、というものである。また戦後に恩給を復活させ援護法を施行した旧軍人軍属とその遺族に対しては、日本政府は現在の日本国籍保持者に限るという国籍条項を設け、ごく限定的な救済をのぞき、日本国籍者以外は対象から外している。これは日本軍「慰安婦」被害者らについても同様で、日本政府は「道義的責任」は認めても、補償・賠償の対象となるような「国家責任」は認めないままである。

また、二〇〇〇年代に入ると、このような限定的な被害認定でさえも否定しようとする動きが日本政府内で目立ちはじめた。特に二〇一二年の第二次安倍晋三政権以降には、「河野談話」の批判や否定の試み、日本軍「慰安婦」被害や動員の強制性に対する否定や矮小化、ひいては「従軍慰安婦」という用語を使うべきでないとする政府見解を発表し、教科書検定ではそれらの政府見解を教科書記述に反映させるなど、明らかに「歴史修正主義」的かつ、歴史研究を無視するような動きを見せている。冒頭で述べた二〇一八年の「徴用工裁判判決」に対しても、立法権、行政権、司法権の三権分立の原則を無視して韓国政府に国内裁判への対応を求めるような過剰な反応をみせるほどであった。しかし、日本政府がこのようにいつまでも戦前から続く見解を固持していては、歴史問題の解決への展望は見えないままであろう。

3　日韓の国民は歴史問題をどう見ているのか？

日韓の相互認識と歴史問題

それでは、日韓の国民はそれぞれ、歴史問題をどのように見ているのだろうか？　それを垣間見ることができる資料が、互いの印象とその理由を調査した「日韓共同世論調査」である。これは日本の特定非営利活動法人「言論ＮＰＯ」と韓国の東アジア研究院が共同調査したもので、ウェブ上で公開されている。二〇二〇年前後の結果を見ると、日本人の約五〇％が韓国に対して「良くない印象」を持っているが、その最大の理由が「歴史問題などで日本を批判し続けるから」(五〇％前後)である。「慰安婦問題」や「徴用工問題」という回答を合わせると、六〇—七〇％が歴史問題を理由に挙げている。韓国人が日本に対して「良くない印象」(五〇—七〇％)を持つ最大の理由も、「韓国を侵略した歴史について正しく反省していないから」(六〇—七〇％)で、同じく「慰安婦」問題なども入れると八〇％以上が歴史問題をその理由に挙げている。双方が相手の悪印象の理由を歴史問題だとするこの傾向は、調査が開始された二〇一三年からずっと続いている。歴史問題が未解決のままであることが日韓の友好的な関係の障害となっている、ということがよくわかる結果である。

この調査では、日本人の韓国に対する印象は、「良い印象」が二〇—二五％、「悪い印象」が五〇％前後、「どちらでもない」が三〇％前後である。印象の「良い」「悪い」の数値は年によってかなり変化するので、決して固定的なものではないが、日本人の韓国認識の歴史から見ると、この結果は興味深い。植民地であった朝鮮半島に対して、日本社会では戦後長い間、差別意識が根付いていた。戦前世代は、特にその傾向が強かっただろう。戦後に生まれた世代が増えていく中で、一九八八年のソウルオリンピックを契機に韓国に対する関心が多少増えてはくるが、ほとんどの日本人は韓国に対して「関心がない」のが実情だったのではないだろうか。それが現在では、「良い」「悪い」を足すと常に七〇％は超えており、「よくも悪くも」韓国に対する日本人の関心の高さがうかがえる。

韓国人の記憶に残る植民地体験

一方で韓国では、旧植民地宗主国であった日本に対して、長い間良い印象を持ってこなかった。その最大の理由は植民地支配を受けた歴史であり、特に植民地体験が社会で広く共有されてきたことにあるだろう。父母、祖父母や親戚の植民地体験は、家族に語られ、さまざまなメディアで伝えられ、公教育で教えられることで、共有されていった。戦時期（一九三七―四五年）は植民地末期にあたるうえ、戦争動員や生活統制、同化の強要という強烈な記憶として特に鮮明に人々の中に残り、現在では植民地期＝戦時期、というイメージも強い。しかし日本では、一九四五年以前の同じ歴史が、「戦争体験」「敗戦体験」として認識され受け継がれてきていても、「植民地支配体験」として社会的に共有されたことはなかった。

また独立後の韓国では、他の旧植民地国家と同様に、植民地支配の影響をどのように克服していくのかが、大きな社会的・政治的課題にならざるをえなかった。具体的には、損なわれた民族の自尊心や誇りの回復、自国文化の保護と普及、自国語や自国の歴史の教育、支配勢力に協力的だった人々（＝「親日派」）の清算、などである。そのため植民地期の歴史の中では、支配政策よりも国家建設運動としての民族解放運動が重視されている。韓国の憲法前文には、大韓民国が「三・一運動により建立された大韓民国臨時政府〔一九二〇年〕の法統」を継承していることが明記されている。また中学校の歴史教科書では、植民地期三六年間の記述に三章分が割かれている。韓国社会においては、植民地期の歴史の重みが、日本とはまったく異なるのである。

日韓相互認識の大きな変化の波

二〇〇〇年代に入ると、日韓国民の相互認識は大きく変わった。特に、韓国に「無関心」だった日本の変化は大きかった。「韓流」と呼ばれる映画やドラマ、音楽といった韓国大衆文化の大流行により、韓国に対する関心が飛躍的に高まった。「一時的な流行に終わるのでは」と懸念されていた韓流も、徐々に日本社会に定着していき、二〇一〇年代に入ると、今度は一〇代・二〇代の若い層を中心に新しい広がりを見せた。ドラマや映画だけでなくK-POPや韓国のコスメ、ファッション、食べ物、小説など多様な項目で人気を博し、全国どこでも簡単に購入できるほど、韓国文化は日本に根付いている。

また日韓相互の往来者数（年間）も飛躍的に増加した。一九六五年の一万人から、二〇〇三年には三九〇万人になり、二〇一一年に五〇〇万人に達して、二〇一八年には一〇〇〇万人を超えた（日本政府観光局統計データ）。日韓政府の対立激化の時期に、四〇年以上かけて達成した五〇〇万人という数字が、わずか七年でさらに倍増したのである。訪日する韓国人と訪韓する日本人の割合はだいたい七対三であるが、こうして互いに直接現地を経験した人々がSNSを通じて情報を拡散することで、これまでとは別の形で相互認識が形成されはじめている。

特に日本の若い女子学生の間では、韓国はコスメ・ファッション先進国として憧れの対象にもなっている。高校や大学では朝鮮語(韓国語)の学習者数や韓国に留学する学生の数も増加しており、こうした層が韓国つながりで現在の日韓の歴史問題に関心を寄せることも増えた。しかし一方では、「韓国文化は大好きだけど、日本を責める韓国政府はきらい」だったり、ネット上の情報をもとに、「嫌韓」的な見解に関心を持つ層もいる。また、歴史問題に関心を持った若い世代は、祖父母・父母との韓国認識の世代間ギャップを強く感じてもいる(加藤監修『「日韓」のモヤモヤと大学生のわたし』)。

おわりに——日韓歴史問題の解決のために

戦時期に日本に動員され、悲惨な状況下で過酷な労働を強制された朝鮮人労働者の歴史を掘り起こし、記録に残す活動が、一九六五年以降、日本各地で地道に続けられてきた。また七〇年代からは、日本政府や企業を相手に被害者らが戦後補償を求める裁判闘争もはじまった(〈ハンドブック戦後補償〉編集委員会編『ハンドブック戦後補償』)。こうした戦後補償を求める被害者たちの訴えや支援活動は、二〇〇〇年代に入ると、日本と韓国の運動が相互に認め合い、協力し合うようになった。これは日韓歴史問題の歴史の、また別の側面でもある。

日本軍「慰安婦」や戦争動員による外国人被害者に対する国家責任を日本政府に追及することは、日本国民にとっても大きな意味を持っている。日本という国家は、戦争による民間人の被害に対しては、日本人にも補償をしてこなかった。前述の政府答弁にあるように、「日本にはこれに補償金を支払う法的根拠はない」とされているのは、日本人民間被害者も同じである。日本を、戦争による民間人被害者を切り捨てるような国のままにしてはいけない。それを許せば近い将来、日本は再び戦争を起こしかねないうえ、戦争を起こした日本は、再び日本人民間人も切り捨てるだろう。過去の外国人戦争被害者に対する補償を制度化すれば、それは日本の未来の戦争抑制にもなる。当たり前のことだが、植民地支配や戦争被害の問題は、日本人自身の問題である。

また、二〇二二年のロシアによるウクライナ侵攻で私たちが目の当たりにしたように、領土獲得には戦争という武力と暴力が伴う。日本の朝鮮侵略も、日露戦争を口実に大韓帝国に日本軍を投入したことからはじめられ、反対・抵抗する朝鮮の人々を軍事力で押さえつけて、植民地支配が行われた。そこに住む人々が本当に日本を必要として受け入れたのであれば、軍隊や暴力は必要ないはずである。戦争同様、植民地支配も、繰り返されてはならない歴史である。そうした問題意識から近年、「戦争責任」「戦後責任」から出発して「植民地(支配)責任」という新しい概念が提起されている。奴隷貿易や侵略戦争と同様に、植民地支配は著しい人権侵害であり、二度と行われてはならないことを、国際的な共通認識として定立させようという動きが世界的にも注目を浴びている。

被害者不在であるのに日韓政府により「解決したこと」にされたまま、日韓国交正常化から六〇年近くがたち、被害者のほとんどは亡くなってしまった。しかしこの間、被害者らの戦後補償運動や歴史研究を通じて研究や調査が進んだ。また「無関心」が大勢を占めていた二〇年前には想像もできなかった新しい相互認識を持つ若い世代も登場している。若い世代には、韓国人と韓国語で直接対話ができる層が広がっているのである。日韓の歴史問題は、現在の、そして私たちの未来の問題である。今こそ、日韓の政府も、国民も、相互に「過去の関係を考えて、未来の関係を想像する」ための対話を続けていく必要がある。

参考文献

庵逧由香「植民地期朝鮮史像をめぐって――韓国の新しい研究動向」『歴史学研究』八六八号、二〇一〇年。

――「朝鮮人強制動員の実態と「徴用工判決」」『歴史学研究』九九二号、二〇二〇年。

板垣竜太「植民地支配責任論の系譜について」『歴史評論』七八四号、二〇一五年。

太田修『新装新版　日韓交渉――請求権問題の研究』クレイン、二〇一五年。

加藤圭木監修・一橋大学社会学部加藤圭木ゼミナール編『「日韓」のモヤモヤと大学生のわたし』大月書店、二〇二一年。

クォン・ヨンソク『「韓流」と「日流」――文化から読み解く日韓新時代』ＮＨＫブックス、二〇一〇年。

武田幸男編『朝鮮史』山川出版社、二〇〇〇年。

田中俊明編『朝鮮の歴史　先史から現代』昭和堂、二〇〇八年。

田中宏・板垣竜太編『日韓　新たな始まりのための二〇章』岩波書店、二〇〇七年。

朝鮮史研究会編『朝鮮の歴史【新版】』三省堂、一九九五年。

――『朝鮮史研究入門』名古屋大学出版会、二〇一一年。

外村大『朝鮮人強制連行』岩波新書、二〇一二年。

朴慶植『朝鮮人強制連行の記録』未来社、一九六五年。

旗田巍『日本人の朝鮮観』勁草書房、一九六九年。

〈ハンドブック戦後補償〉編集委員会編『ハンドブック戦後補償』梨の木舎、一九九二年。

船橋洋一編『いま、歴史問題にどう取り組むか』岩波書店、二〇〇一年。

吉澤文寿『新装新版　戦後日韓関係――国交正常化交渉をめぐって』クレイン、二〇一五年。

李成市・宮嶋博史・糟谷憲一編『朝鮮史2　近現代』山川出版社、二〇一七年。

第5章

「核」を考える
——宣伝される「威力」と隠される被ばく

高橋博子

はじめに

米国首都ワシントンＤＣにある米国立公文書館Ⅰの前におかれた銅像の台座には、「過去の遺産は未来に実りをもたらす種(The heritage of the past is the seed that brings for the harvest of the future)」、そして「永遠の監視は自由の代償(Eternal vigilance is the price of liberty)」という言葉が刻まれている。米国立公文書館を管轄する連邦政府機関であるＮＡＲＡ(米国立公文書記録管理局)は、「人びとが記録遺産から発見し、使用し、学ぶことを保証」し、「政府の文書を保護し保全することによって、アメリカの民主主義に仕えます」とうたっている。負の遺産であろうとしっかりと公文書を残し、未来のため、自由のために永遠に監視する、米国立公文書館のような存在は重要である。また、自由と民主主義の下では、市民は監視される対象なのではなく、政府こそが監視される対象なのだということをこの言葉は示している。

それでは「核」について考える時、米国政府の行ってきたことは監視される対象だったであろう

図 5-1　1954 年の核実験後に米クワジェリン基地に移送されたロンゲラップ環礁の住民を調査する米医師

か？　その歴史の中で、核開発に関する情報は「国家安全保障に関する情報」として機密扱いにされる一方で、「威力」に関する情報は米ソ核開発競争の中、積極的に宣伝されてきた。

二〇〇三年の暮れ、私はメリーランド州カレッジパークにある米国立公文書館Ⅱで、マーシャル諸島ビキニ環礁で実施された核実験についての米原子力委員会文書を調査していた。すると一つの封筒が出てきた。封筒の中には「国家安全保障上の理由によりこの文書は抜き取っています」と書いた紙切れが一枚入っていた。私はそこで、この文書を情報公開請求してみることにした。その半年後、公文書館から文書が開示されたとの手紙が送られてきた。開示された内容は十数枚の写真で、複製の費用を払って入手することができた。届いたのは、一九五四年にビキニ環礁で実施された米核実験で被ばくした人々の写真であった(図5－1)。子どもたちにまで広島・長崎の被爆者と同じような脱毛と紫斑の症状が出ていた。この写真は、米原子力委員会と米軍特殊兵器計画が核実験の一環として実施したプロジェクト4・1「高核出力兵器の放射性降下物によるβ線・γ線に著しく曝された人間の反応に関する研究」のために撮影された。軍事機密だからこそ隠されたのである。「国家安全保障上」の理由で隠されていたのは、本来隠されてはいけない人々の写真であった。

核問題について語られる際、議論の中心になるのは核弾頭の数や「威力」である。ところが、核の人間にもたらす影響については、死傷者の数については言及されることもあるが、具体的な症状や惨状については、そもそも軍事機密情報として隠されている。核の人間にもたらす影響が隠されたまま核時代について語られてきたのである。都合の悪い情報を隠蔽する、核戦略を実施する側の歴史ではなく、核が人間にもたらす影響に向き合う歴史こそが、不可欠だと思う。

本章では米ソ核開発競争の中で、さらに核の民生利用の中で、核の「威力」が宣伝される一方、人々や環境に起こった被ばくの実態が隠され、広島・長崎の被ばく、残留放射線・内部被曝が無視されてきたことを検証したい(本章では、原水爆による被害は「被爆」、放射線のみによる被害は「被曝」、双方を指す時は「被ばく」と表記する)。

I 原爆は放射能を残す

一九四三年五月一二日、原爆開発計画であるマンハッタン計画の責任者レズリー・グローブスの要請に応じて、放射能毒性小委員会が発足した。マンハッタン計画の科学者たちは放射線兵器の開発のために、放射線の人体への影響について、すでに強い関心をもっていた。その報告書「軍事兵器としての放射性物質」では、「戦争での兵器としての放射性物質の利用についてはこのプロジェクトのさまざまなメンバーによって重要な考えとしてあげられている」と述べ、「除染されたり、放射能が崩壊する充分な時間が経過するまで、この地域で何日も生活を続けることが不可能になるほど高いレベルの放射線で広い地域を汚染するのに充分であろう」、「放射性物質は身体的被害や地域汚染を生じさせるために兵器として有効である」などと書かれているように、マンハッタン計画の科学者たちは、放射線とりわけ内部被曝や残留放射線が人体にもたらす影響を知っており、核爆発の研究とともに、放射線兵器の開発にも携わっていたのである(Radioactive Material as a Military Weapon, S-1 Files, Bush-Conant Files, 157–169, Box 13, RG227/130/19/31/03, NARA)。

原爆投下から約一カ月後の一九四五年九月五日付『デイリー・エクスプレス』に、広島の惨状を告発するウィルフレッド・バーチェットの配信記事が掲載された。「原爆病：広島では、最初の原子爆弾が都市を破壊し世界を驚かせた三〇日後も、かの惨禍によってけがを受けていない人々であっても、「原爆病」としか言いようのない未知の理由によって、いまだに不可解かつ悲惨にも亡くなり続けている」。

それに対して一九四五年九月一二日夜、マンハッタン計画副責任者トーマス・ファーレル准将は東京にて記者会見を開き、原爆が廃墟となった街に危険な残留放射線を生み出したり、爆発時に毒ガスを作り出すことを、断固として否定した(『ニューヨーク・タイムズ』一九四五年九月一三日付)。

一九四五年九月二七日付グローブス少将宛てのファーレル准将の書簡では、次のように説明していた。「日本とアメリカで報道された話に、疎開を応援するため(被爆)地域に入った人々が死傷したというのがある。真相は、爆発以前に発せられていた疎開命令を実行するために広島に入っていた疎開要員が爆弾の爆発に巻き込まれて多くの死傷者が出たということである」（奥住・工藤訳『米軍資料　原爆投下の経緯』一四二―一五二頁）。被爆したのは原爆が投下されてからではなく、元から広島・長崎に入っていた人々であるとして、後から入市して残留放射線によって被曝した人たちの存在を打ち消す説明が内部でされていたのである。

このように、広島・長崎の場合、放射線は消えてなくなるという趣旨の説明が行われているのだが、それはどういう論拠からなされてきたのであろうか。当時マンハッタン計画の医学部門の責任者であったスタッフォード・ウォレンの説明は次のようなものである。「日本の二つの都市で起こったような上空での原爆の爆発は、爆風やγ線・中性子線の放射によって殺傷する。危険な核分裂物質は亜成層圏にまで上昇し、そこに吹く風によって薄められ消散させられる。都市は危険な物質に汚染されるわけではなく、すぐに再居住してもさしつかえない」（*Medical Radiography and Photography*）。しかし、実際には消えてなくなるどころか放射性降下物は広範囲に影響を及ぼしていた。

広島・長崎の原爆炸裂後、一分以内に発せられる放射線を初期放射線という（主にγ線）。しかし、一分経過した後にも放射線の影響は続く。それを残留放射線という。放射線が地面に到達したことにより、地面にある物質が放射線を出すようになる誘導放射線や、放射性物質を含む雨やちりが降り注ぐ放射性降下物の影響も、残留放射線によるものと言える。拡散した放射性物質にはα線やβ線を出す性質があり、放射線の届く距離が短いので外部被曝はしにくいが、水や食料などを通して体内に入った場合に、強烈な放射線を出し続けるので、影響は大きなものになる。このことは、原爆症認定集団訴訟や黒い雨訴訟などでの被爆者による訴えや関連研究で明らかになっている。

米政府・軍は公的には残留放射線や内部被曝を否定したが、放射線が人体に及ぼす影響については軍事的観点から重視し続けている。その研究はマンハッタン計画の中で人体実験を伴い実施された。また広島・長崎への原爆投下後に、「原爆の効果によって生じた死傷者の研究」が実施された。その理由を米太平洋陸軍総司令部のアシュレー・オーターソン大佐は次のように述べている。「日本で使用された二つの原爆の効果についての研究はわが国にとってきわめて重要である。このユニークな機会は次の世界大戦までふたたび得ることはできないであろう」(Liebow「災害との遭遇」九二―九三頁)。

一九五〇年になると、原爆対策本として米原子力委員会(後述)・国防総省・ロス・アラモス科学研究所が『原子兵器の効果』(邦訳一九五一年)を出版した。

「このような放射能による危険は特殊な事情の下においてだけ起こり得るということをはじめに強調しなければならない。高空あるいは可成り高い空中で爆発する時にこの危険は本質的には起こらない」、「日本での原子爆発後、核分裂生成物や原子爆弾に用いた材料に由来する放射能による障害または疾病は少しも見られなかった」とし、残留放射線による危険はないとしている。それに対して地中爆発や水中爆発は「居住地地域を汚染し得るし、そのような場合には残留放射能による危険は重大になるであろう。放射性物質を放射線戦争の兵器として用いた場合に同様の状態が起こり得るであろう」と述べている。また、「空中爆発」は極めて広い範囲に分散し、「健康に対する危険という点から見れば、無視することができる」とし、風や雨雲など特殊な気象条件で「ある特定の地域に大量の放射性物質が沈積することはあるかも知れない。しかし、そんなことは何時もあるとは考えられない」としている。このように一九五〇年の『原子兵器の効果』では、広島・長崎の場合は残留放射線はないことが強調され、アメリカの公式見解が踏襲されたのである。

ところが同じ一九五〇年、放射線量を測定するために、米軍特殊兵器計画（ＡＦＳＷＰ、後述）、空軍、米原子力委員会などは民間機関である測定研究所と契約した。測定者は実験場だけでなく、日本にも派遣された。ＡＢＣＣ（原爆傷害調査委員会、後述）の初代所長になったカール・テスマーは一九五〇年三月二九日、米科学アカデミーの科学者に向けて次のように報告している。「重要な点は〔中略〕、彼ら〔測定者〕が広島や長崎中の雨樋《あまどい》や泥の堆積、その他気象学的データで示された地域でサンプルを得てきたことです。後者〔気象学的データで示された地域で得られたサンプル〕は核分裂物質の場所を特定するための主要な要素となり、原爆投下当日と翌日の降雨の範囲についてかなり整合性のある報告となるでしょう」。そして収集された試料は、いずれも放射線フィルムテストで陽性だったとしている(Letter from Carl F. Tessmer, to Philip S. Owen and Herman S. Wigodsky, March 29, 1950, File: ABCC Director's Correspondence: Jan.-Apr. 1950, Series 4, Collection of ABCC 1945-1961, NAS)。このように一九五〇年に米軍が持ち帰ったデータでも、黒い雨（放射性降下物）の影響が示唆されていた。

一九五四年三月一日のビキニ環礁での水爆実験でマーシャル諸島の人々や、第五福竜丸をはじめとする太平洋を航海中の漁船の被ばくから約一年後の一九五五年二月一五日、米原子力委員会の「高威力核爆発の影響」という声明は、次のように説明していた。「爆弾が空中で爆発して、火焰体が地表に接触しないばあい」には、爆弾内で発生した放射能は、「きわめて緩慢に落下するのであって、その結果、地表に到達するまでにはその大部分のものが大気中に消散して無害なものとなり、残存する汚染は広く分散される」。しかし一九四六年のビキニ環礁でのクロスローズ作戦ベーカー実験(原爆)や、一九五四年三月一日のキャッスル作戦ブラボー実験(水爆)のような地表もしくは地表近くで爆発した場合については、「ある程度の危険が生じることになる。これら大型の重い粒子は緩慢に広範な地域にわたって浮動するのではなく、急速に降下するために、大気のうちで消散して無害になる時間もなく、また風によって分散される時間もない」(『世界週報』一九五五年三月一一日[第五福竜丸平和協会編『新装版　ビキニ水爆被災資料集』二四―三一頁])。

このように、広島・長崎のような空中爆発ではあたかも放射性降下物の影響はたいしたことがないかのような説明がされる一方で、「高威力(high yield)核爆発」である水爆実験では、放射性降下物の影響を認める声明を出したのである。前述のとおり米原子力委員会は、核実験の一環として放射性降下物についての極秘の調査を実施していたにもかかわらず、表向きは影響がないとして、マーシャル諸島の住民を避難させなかった。この声明が出されたのは、第五福竜丸事件が報道され、その後ビキニ水爆被災問題が日米間で一九五五年一月に「完全決着」した後のことである。ビキニ水爆被災によってアメリカはようやく放射性降下物を認めたものの、広島・長崎における残留放射線・放射性降下物の影響まで認めたわけではないのである。

2　放射能災害軽視の体制

マンハッタン計画を引き継いで米国の核開発を担ったのは、連邦政府機関である米原子力委員会である。米原子力委員会は一九四六年八月一日に成立した米原子力法によって設立されたが、その第三節第三項では「放射性物質を医学、生物、保健、もしくは軍事目的のために活用するための組織であると述べられている。グローブスを長とする米軍特殊兵器計画(AFSWP)もマンハッタン計画を引き継いだ。

一九四六年一一月一八日付で、ジェームズ・フォレスタル海軍長官からハリー・トルーマン大統領宛てに、これまで日本で米軍が行っていた原子爆弾の人体に及ぼす生物学的・医学的影響の調査を米科学アカデミーが長期的に継続するよう大統領命令を出す要請が出され、一一月二六日に大統領は承認した(From James Forrestal, to President Truman, November 18, 1946, ABCC Collection, NAS)。

米科学アカデミーは一九四七年一月、原子傷害調査委員会(CAC:Committee on Atomic Casualties)を医科学部門に設置し、この管轄の下で現地調査機関として原爆傷害調査委員会(ABCC:Atomic Bomb Casualties Commission)が発足した。その調査資金は米原子力委員会の生物医学部が提供していた。生物医学部長には、初期の原爆調査に海軍に所属して携わったシールズ・ウォレンが着任した。

ABCC発足以前に活動していたABCC準備委員会は、広島・長崎の被爆児童を被爆当時と同じように整列させ、ケロイドの状態を含めて被爆の状況を分析した。さらに、一九四七年九月から米スタンフォード大学のウィリアム・グルーリック教授が被爆していない子どもを含む約一〇〇〇人の子どもたちにX線を照射して骨格の発達状況を調査した(長澤『小児科医ドクター・ストウ伝』一一一―一三四頁)。一九四八年には、AFSWPと米原子力委員会が共同で放射能兵器開発を開始すると、ＡＢＣＣは日本での機関として組み込まれた。

一九四九年八月にソ連が原爆を保有、一〇月には中華人民共和国が成立する中で、米中ソの緊張が極度に高まっていった。朝鮮戦争勃発直前の一九五〇年六月一八日には、米原子力委員会によって「ＡＢＣＣの日本人原爆生存者の研究継続」の声明が出された。「日本人生存者は原爆で被爆した世界で唯一のグループとなりました。この理由からＡＢＣＣの医学的成果は科学者にとって、そして合衆国の軍事・民間防衛計画にとって重大な意義があります。研究成果は科学雑誌にて報告され、国防総省、国家安全保障局、米国公衆衛生局やその他、本国の原爆災害の際に防護と救援対策に責任のある機関で利用可能となるでしょう」。

声明が出された翌年の一九五一年一月には連邦民間防衛局が設置された。同機関の配布した「原爆災害下の生き残り」といったパンフレットでは、核爆発後一分間に発生する初期放射線さえしのげば大丈夫であるかのように、抽象的で空想的な対策が描かれていた。表向きには広島・長崎への放射線被害がないかのように説明しつつ、軍事・民間防衛のため、すなわち核戦争への準備のためＡＢＣＣの研究継続を発表したのである。

ＡＢＣＣのアール・レイノルズ博士は四五〇〇人の子どもたちを対象に、被爆した子どもと被爆していない子どもたちの身長・体重・生殖機能の発達について調査し、分析を行った。被験者となった子どもたちは、調査目的のためのＸ線によって被曝したのである。また思春期の多感な子どもたちが生殖機能についての調査対象になった。ＡＢＣＣで小児科医として調査に携わっていたワタル・ストウ博士は、これと類似した調査を、一九五四年のビキニ水爆被災後、マーシャル諸島の子どもたちを対象としてブルックヘブン国立研究所のコナード博士とともに実施した。また甲状腺の調査などをも実施した（高橋「冷戦下の被ばく者調査」）。

一九五三年夏から米原子力委員会を中心に実施されたプロジェクト・サンシャインという放射性降下物についての研究では、世界中から成人・子ども・胎児の死体や骨を集め、カルシウムと間違えて取り込まれやすいストロンチウム九〇の骨への蓄積状況を調査した。一九五八年に出された原子放射線の影響に関する国連科学委員会（ＵＮＳＣＥＡＲ）の報告書は、米国のプロジェクト・サンシャインやその他の国の核実験の研究が反映され、子どもたちへの放射線の影響が大きいことを分析し、胎児であっても母親の血液を通じて内部被曝していることを指摘していた。しかしながら、放射線被曝研究は放射線兵器の開発や核戦争の準備のための軍事情報として重視されたがために、データや研究成果は基本的には軍事機密扱いとなり、医療のための医学研究としては実施されてこなかった。命を守るためではなく、命を切り捨てるための研究が実施されたのである。

3　放射能災害軽視の思考は続く

放射線の影響を軽視する核兵器観は現在どのように引き継がれているのだろうか。

二〇一九年六月、米国防総省統合参謀本部は次のような新方式の指針を出した。その中で「放射性降下物」については次のように説明している。「核爆発による核兵器の残骸。おもに核分裂の残骸は放射能が強い。地表（水面）近く、地表（水面）、もしくは地表（水面）下爆発による放射能の残骸の雲から広まった土は、誘導放射化されたり結びついたりして放射線被害をもたらす。比較的重い放射性微粒子は爆発のすぐ後に爆心地近くの地域に到達する。比較的軽い放射性微粒子は気候や大気の状態によって、後により遠くの地面に到達する」(Federation of American Scientists, Joint Publication 3-72)。この指針では、広島・長崎のように空中高く爆発した場合については説明しておらず、あたかも放射性降下物はないかのように扱っている。この統合参謀本部の放射性降下物についての説明は、米国政府・軍として広島・長崎への原爆投下以降ずっと持ってきた見解である。

さらに二〇二〇年二月四日、米国防総省はロシアへの「抑止力」を高めるため「米海軍が潜水艦発射弾道ミサイル(SLBM)用に爆発力を抑えた低出力の小型核弾頭を実戦配備した」と発表した。「米メディアや専門家によると、小型核弾頭の爆発の規模はTNT火薬換算で五キロトン級に抑えたとされ、広島に投下された原爆(推定約一五キロトン)より威力が小さい。ロード国防次官は声明で「米国に迅速でより残存可能な低出力の戦略兵器をもたらす。米国の拡大抑止(核の傘)を支え、潜在的な敵に限定的な核使用は何の利点もないことを示す」と説明した」(『朝日新聞』二〇二〇年二月五日付)と報道された。

このように、米国防総省は「爆発力を抑えた低出力の小型核弾頭」、すなわち広島型の三分の一の爆発力の核兵器の配備を発表したのである。しかし、ここで気をつけなければいけないのは、低核出力(low yield:低威力)という表現である。確かに広島と比べれば低核出力なのかもしれないが、それでも三分の一でしかない。広島・長崎の被爆者にとっては堪え難い比較ではないだろうか。しかもそれに対する「高核出力(high yield)」という表現は、一九五四年ビキニ環礁で実施された水爆実験の時に広島型の一〇〇〇倍規模の爆発力として使用された言葉である。核兵器を使用し、発表する側による、相当意図的な表現である。

おわりに

アメリカ政府・軍が残留放射線や内部被曝について触れるときの知見は、一九四六年の原爆実験クロスローズ作戦や、マンハッタン計画や米軍と米原子力委員会による放射線兵器の開発の際に得られたものである。広島・長崎については調査をし、実際のデータを得ながらも、その存在を否定していたのである。

二〇二一年七月一四日の広島高裁での黒い雨訴訟の原告側の勝利は画期的な判決である。黒い雨訴訟は、これまでアメリカや日本政府が過小評価してきた、残留放射線・放射性降下物による内部被曝が争点の裁判であった。判決では「『広島原爆の投下後の黒い雨に遭った』という曝露態様は、黒い雨に放射性降下物が含まれていた可能性があったことから、黒い雨に直接打たれた者は無論のこと、たとえ黒い雨に打たれていなくても、空気に滞留する放射性微粒子を吸引したり、地上に到達した放射性微粒子が混入した飲料水・井戸水を飲んだり、地上に到達した放射性微粒子が付着した野菜を摂取したりして、放射性微粒子を体内に取り込むことで、内部被曝による健康被害を受ける可能性があった」として、「原爆の放射線により健康被害が生ずることを否定することができないものであった」と認められるべきであるとした。アメリカが公式には否定し続け、隠し続けた内部被曝問題を浮き彫りにした判決である。

しかしながら、広島・長崎での原爆の影響でも放射性降下物を把握していたにもかかわらず、米核政策ではその影響を無視している。米国をはじめ核保有国・核依存国は、高核出力兵器(High Yield Weapon)に対する低核出力兵器(Low Yield Weapon)を「小型核」「使える核」と称している。しかし、この表現は広島・長崎の原爆による放射性降下物の否定の上に築かれてきたものである。

二〇二二年二月二四日のロシアのウクライナ侵攻後、ロシアのプーチン大統領や閣僚は核兵器使用の可能性をほのめかせ、核戦争の危機が高まっている。またそれを放送するメディアや政治家・専門家も「戦術核」「小型核」「低核出力兵器」「使える核」などと、核を使用する側が広島・長崎の惨状を無視して編み出した言説をそのまま使用し、その言説に対して、なんの疑問も挟んでいない。広島・長崎での爆風・熱射・初期放射線・残留放射線・黒い雨・内部被曝の影響を否定しているかのような言説である。

元首相をはじめとする、日本における核兵器への肯定的発言も相次いでいる。「自民党の安倍晋三元首相は二七日午前のフジテレビ番組で、ロシアのウクライナ侵攻を受けて、米国の核兵器を自国領土内に配備して共同運用する「核共有(ニュークリア・シェアリング)」について、国内でも議論すべきだとの認識を示した」(『産経新聞』二〇二二年二月二七日付)。「核共有」について元首相が積極的な発言をしているのである。このような核認識は今に始まったことではない。安倍首相(当時)は、二〇一六年の参議院答弁でも、非核三原則や核兵器不拡散条約(NPT)によって核兵器を保有することができないとしつつ、「その上で、従来から、政府は、憲法第九条と核兵器との関係についての純法理的な問題として、我が国には固有の自衛権があり、自衛のための必要最小限度の実力を保持することは、憲法第九条第二項によっても禁止されているわけではなく、したがって、核兵器であっても、仮にそのような限度にとどまるものがあるとすれば、それを保有することは、必ずしも憲法の禁止するところではない」と述べている。

広島・長崎で悲惨な体験をし、今なお苦しみが続いている被爆者が日本内外にいながら、「自衛のための核兵器」は必ずしも憲法の禁止するところではないという認識なのである。このような認識の元首相が「核シェアリング」を訴えていることは、核兵器で攻撃された国自らがその有効性を認めたことになり、核保有国による「核の脅し」にますます拍車をかけ、核戦争への危険性を高めていると言える。

「低核出力」「高核出力」「小型核」「使える核」「核シェアリング」といった言葉は、核被害を受ける側の歴史をかき消す言葉そのものである。そのような、核による脅しを共有するのではなく、広島・長崎で起こった惨状、そして今なお続く苦しみを、ロシアをはじめとする世界の人々に伝え、核実験や原発事故を含む核被災によって苦しんでいる人たちと共に、核に抗う歴史をこそ重視すべきである。

参考文献

アメリカ合衆国原子力委員会ほか『原子兵器の効果』武谷三男ほか訳、科学振興社、一九五一年。
奥住喜重・工藤洋三訳『米軍資料　原爆投下の経緯――ウェンドーヴァーから広島・長崎まで』東方出版、一九九九六年。

沢田昭二『核兵器はいらない！』新日本出版社、二〇〇五年。

第五福竜丸平和協会編『新装版 ビキニ水爆被災資料集』東京大学出版会、二〇一四年。

高橋博子『新訂増補版 封印されたヒロシマ・ナガサキ』凱風社、二〇一二年。

――「冷戦下の被ばく者調査」『アメリカ史研究』三八号、二〇一五年。

長澤克治『小児科医ドクター・ストウ伝』平凡社、二〇一五年。

増田善信「広島原爆後の〝黒い雨〟はどこまで降ったか」『天気』三六巻二号、一九八九年。

Liebow, Averill A.「災害との遭遇――広島の医学日記、一九四五年」『広島医学』二〇巻二・三合併号、一九六七年。

Federation of American Scientists, Joint Publication 3-72 Nuclear Operations(11 June 2019) (https://fas.org/irp/doddir/dod/jp3_72.pdf).

Medical Radiography and Photography, 24(2), Eastman Kodak Company, Rochester, New York, 1948.

＊本稿は高橋博子「小型核の歴史的検証」『日本の科学者』五六巻一号、二〇二一年に加筆修正したものであり、科研基盤研究(C)「広島・長崎原爆による黒い雨・米核実験による放射性降下物の歴史的検証」(21K00932)(研究代表高橋博子、二〇二一年度―二〇二四年度)の研究成果の一部である。

第6章 記録を残すこと
――日本の情報公開はどうなっているのか

三宅明正

はじめに

二〇一九年、国の基幹統計である厚生労働省の「毎月勤労統計」で「不適切」操作が明らかになった。発端は算出方法を切り替えたにもかかわらず以前の数値を遡って集計し直さず、一八年だけ賃金が急上昇したことだった。この結果、統計の連続性は失われた。類似の操作は、同じ基幹統計である国土交通省の「建設工事受注動態統計」調査でも二〇一三年から行われていた。提出が遅れた建築業者の受注実績の推計値と実数を足す二重計上である。都道府県の担当者に調査票原票を書き換えさせ、会計検査院が問題に気づくと、今度は国交省自らが書き換えていた。どれもが統計法に違反する行為だった（『毎日新聞』二〇二二年二月二四日）。

二〇一〇年代の半ばから、統計偽装、行政機関の公的記録情報の非開示、廃棄や未作成、不存在といった事態が相次いで起きた。大きな問題になったものでは、ＰＫＯ参加の自衛隊日報廃棄、森友学園関係公文書改竄《かいざん》、加計学園疑惑文書非公開、「桜を見る会」の文書破棄、などがある。これらはいずれも日本で情報公開法が公布(一九九九年)施行(二〇〇一年)、公文書管理法が公布(二〇〇九年)施行(二〇一一年)されたなかで起きていた。問題化するとその都度政府は関係者の処分を含む対策をとったものの、二〇二二年現在、非開示とした記録を明らかにしたり、未作成の記録を作る方向に転じているとは言えない。なぜこうなのか。情報公開法制定が極端に遅く制度が未整備だからだろうか。

情報公開を法で定めたものは一七六六年スウェーデンの出版自由法が最古とされている。その後アメリカの情報自由法(一九六六年)などを経て、欧米諸国では一九八〇年代までに法整備が進んだ(浜田ほか「社会的状況の国際比較による情報公開、公文書管理、秘密保護に関わる考察」)。それ以外の地域でも一九九〇年代以降情報公開を法で制定する国が増え、アジアでは九五年香港、九六年韓国、九七年タイ、九九年日本(〇一年施行)、〇二年パキスタン、〇五年インド、台湾、〇六年パキスタン、〇七年ネパール、〇八年中国、〇九年バングラデシュ、イランなどがこれに続いた。こうみると、日本での情報公開法の制定自体が極端に遅いとは言えない。

ちなみに出版自由法が情報公開法の最古とされているのは、情報公開が取材の自由、表現の自由の権利と不可分のものと捉えられているためである。今日では人びとが自由に情報を入手する権利と、情報の積極的な公開を政府に要求する権利との両側面を持つ知る権利が必要であると考えられている。では日本の状況はどうか。

NGO「国境なき記者団」は、二〇〇二年から毎年「世界報道自由度ランキング」を発表している。これは各国・地域における情報公開の自由度を示すものとなっている。対象国の数が変動するので単純には言えないが、日本は二〇〇二年から三〇―四〇番台で推移した後、〇六年に五〇番台に落ち、〇七年から二〇―三〇番台と上昇、〇九年から一二年にかけて一〇―二〇番台とピークに達した後、一三年から二一年まで五〇―七〇番台と急落、二〇二一年現在六七位でG7中最下位、アジアでは韓国、台湾、ブータンの下となっている。

順位が上がったのは自民・公明連立の福田政権と民主党首班政権の時代、いっぽう下がったのは、第一次および第二次以降の安倍政権ならびに菅政権の時代であった。二一世紀の情報公開において、二〇〇九年から一二年を除いて日本は明らかに遅れた国の一つになっており、例えばCOVID-19の罹患者数にしても、二〇二〇年当時、日本の数値が極端に少ないのは政府の統計が信頼できないからだとする海外の論調すら現れていた。こうした状況をどうみるか。近年大きな問題となった事例をもとに考えてみたい。

1　自衛隊日報問題

二〇一一年七月、内戦の続いたスーダン共和国の南部一〇州は南スーダン共和国として分離独立した。翌一二年一月、国連平和維持活動(PKO)参加に向け自衛隊が首都ジュバに派遣された。PKO協力法には参加のための原則があり、紛争当事者間の停戦合意があることが第一の前提であった。だが南スーダンの状況は当初から良くなく、むしろ悪化する傾向にあった。しかし政府は二〇一四年から派遣期間を数次にわたり延長した。二〇一五年五月、安倍内閣は自衛隊法やPKO協力法など一〇の法律を一括して改正する安全保障関連法案を国会に提出した。野党ならびに憲法学者、行政法学者の多数はそれが違憲であり、海外での武力行使や戦争の可能性を高めると批判した。とくにこれまでの政府の憲法解釈を変え、違憲とされてきた集団安全保障を合憲とした点は、自衛隊の変質を招くおそれから、自民党の元総裁や元副総裁、幹事長経験者を含め多くの批判を受けた。しかし安全保障関連法案は一五年九月に与党が押し切ることで国会を通過した（一六年三月施行）。

ジャーナリスト布施祐仁は、ＰＫＯ協力法改正により自衛隊の新任務に駆け付け警護（襲撃された国連や非政府組織等の関係者を、武器持参で助けに行く）が加わったことから、その最初の例となるであろう南スーダンにおける自衛隊活動の実態を調べるため、現地部隊作成の報告書類の開示請求を始めた。南スーダンでは不安定な状況が続き、二〇一六年七月には南ジュバで一五〇人以上が死亡する事態が起きていた。布施が同年九月三〇日に自衛隊現地部隊作成の日報の情報公開請求をしたところ、三〇日以内に開示か否かの通知がくるはずが一〇月三〇日に「開示決定期限延長」通知が、一二月二日に「日報はすでに廃棄しており不存在」との連絡が防衛省から届いた。政府は南スーダンに派遣する自衛隊に駆け付け警護を新任務として課すことを一一月に閣議決定し、部隊を出国させていた。布施は「開示決定期限延長」は派遣前に政府が追及されることを避けようとしたのではないかとみている。それにしてもわずか三カ月前の日報が廃棄されているというのは不可解だ。布施はツイッターで「これ、公文書の扱い方あんまりだよ。検証できないじゃん」と述べた。多くの人が日報の廃棄を疑問視した。その中には現職の河野太郎外務大臣もいた。河野は防衛省に再調査を要求、稲田朋美防衛大臣も再捜索を命じた。防衛省は二〇一七年二月、日報の存在を公表した。

ただし隠蔽していたのではなく、偶然見つかったとしたが。

公開された日報には「戦闘」という言葉が数多く記されていた。従来の政府の主張との隔たりは大きかった。一七年三月に安倍首相は五月で自衛隊を南スーダンから撤収させることを表明(理由は「一定の区切りをつけられる」との判断)、七月に稲田防衛大臣は引責辞職し、防衛事務次官と陸上幕僚長もデータを開示せず廃棄したことで処分を受けた上、引責辞任した(以上『現代ビジネス』電子版、二〇一七年三月一一日、布施・三浦『日報隠蔽』)。

なお南スーダンでの日報の存在が明らかになったのと同時期に、それまで不存在とされていた二〇〇四年から〇六年の自衛隊イラク派遣時の日報が公表された。こちらにも「戦闘」の文字が記されており、派遣当時の小泉首相による「自衛隊の派遣地域は非戦闘地域」という答弁との違いが明らかになった。

2　森友学園疑惑と公文書改竄

二〇一六年六月、学校法人森友学園に大阪豊中市の国有地が極端な安値で売却された。管轄の財務省近畿財務局が依頼した鑑定士評価額は九億五六〇〇万円だったが売却価格は一億三四〇〇万円、八六%も安く、隣接の国有地売却価格と比べると九一%引きと桁はずれだった。かつ過去三年間の国有地売却一千件の中で、この売却価格だけが公表されなかった。森友学園は安倍首相ならびにその妻にさまざまに働きかけており、ここに小学校(もとの案では「安倍晋三記念小学校」)を建設し名誉校長に妻の安倍昭恵を予定していた。学園の籠池泰典理事長は近畿財務局に対し安倍昭恵との関係を強調して圧力を加えた。

二〇一七年二月、破格値での売却が報じられ安倍首相らの働きかけが疑われると、一七日、安倍首相は国会で「私や妻が関係していたということになれば……間違いなく総理大臣も国会議員も辞める」と発言、同日、管理する佐川宣寿財務省理財局長は「政治家の関与は一切ない」「森友学園との交渉記録は廃棄した」と国会で答弁した。

森友学園は同年三月に小学校の設置認可申請を取り下げ、二三日国会に証人喚問された籠池理事長は、売買契約を「神風が吹いた」「何らかの見えない力が動いた」などと表現し、安倍昭恵や自民党国会議員らとの関係を次々に明らかにした。野党は追及を続けたが、政府側は詳しい説明を拒んだ。六月に国会が閉会し、七月佐川理財局長は国税庁長官に昇進、同じく七月に籠池理事長夫妻は国と大阪府・市からの補助金詐取容疑で逮捕、起訴され、翌一八年五月まで保釈されなかった。会計検査院は一七年一一月、値引きの根拠を「不十分」などとする検査結果を公表し、国会審議も断続的に続いたが、真相は不透明なままだった。

一八年三月二日、『朝日新聞』が「森友文書　書き換えの疑い」との記事をのせ、契約当時の文書にあった「特例」などの文言が、一七年二月の問題発覚後に国会に提出した文書ではなくなったり変わったりしていると報じた。さらに決裁文書に一ページあまりにわたって記されていた項目が消えているという続報がでた。三月九日、佐川国税庁長官は「決裁文書の国会提出時の担当局長だった」として辞任、この間の三月七日、森友問題で公文書改竄を指示された近畿財務局の一人の職員が自らの命を絶った。

三月一二日、財務省は決裁文書一四件の改竄を認めた。改竄は土地の大幅値引き問題が発覚した後の一七年二月下旬から四月の時期で、「本件の特殊性」といった文言や、安倍昭恵や政治家についての記載が削除されていた。さらに取引終了後に「廃棄した」として国会に提出しなかった森友学園との交渉記録が存在していることも判明した。佐川理財局長が国会で土地取引について「適正」などという答弁を繰り返していた時に、こうしたことが行われていた。一年以上の国会審議のもとになっていたのも、改竄された文書だった。三月二七日に衆参両院の証人喚問に臨んだ佐川前国税庁長官は、自らの刑事訴追の可能性を理由に約五〇回証言を拒否し、森友学園への国有地売却をめぐる財務省の決裁文書改竄の指示者や経緯はいっさい明らかにならなかった。一方で、安倍首相やその妻、政治家らの指示だけは明確に否定し、安倍政権に有利な証言が際だった(『日本経済新聞』二〇一八年三月二八日)。財務省は一八年六月、改竄を「佐川氏の主導」と認定する調査結果を発表して二〇人を処分、麻生太郎財務相が謝罪した。

検察(大阪地検)は「背任罪」や「証拠隠滅罪」「公用文書等毀棄罪」「虚偽公文書作成等罪」などでの告発を受けて捜査を行ったが、佐川ら三八人を不起訴処分とした。大阪第一検察審査会は一〇人に関し不起訴不当を議決したものの検察は再び不起訴処分とした。

改竄を指示され自死した職員は手記を残していた。二〇二〇年三月その妻は、夫の自死は改竄を強制されたためであるとして国と佐川宣寿元理財局長に損害賠償を求める裁判を起こした。原告側は財務省が二〇一八年にまとめた報告書の作成過程で集めた資料や大阪地検に提出した資料の開示を請求したが、財務省は不開示を決めた(『読売新聞』二〇二一年一〇月一三日)。いっぽう人事院に対して請求し、当初は黒塗りだった公務災害補償に関する個人情報は、不服申し立てや情報公開・個人情報保護審査会の答申を踏まえて決定が取り消され、一部を除き開示された(jiji.com 二〇二二年一一月一七日)。一二月、当初は争うとしていた国側は主張を一変させて国家賠償請求を認め、「認諾」という形で裁判を終結させた(佐川被告の裁判のみ継続)。

3　加計学園疑惑と公式記録

二〇一七年一月、学校法人加計学園は、獣医学部を新設する「国家戦略特区」の事業者に選定された。その学園の加計孝太郎理事長が安倍首相が「腹心の友」と呼ぶ人物であったため、認可に官邸からの働きかけによる「特別の便宜」が疑われている(『日本経済新聞』二〇一八年五月二三日)。

二〇一五年二月、加計学園理事長、愛媛県と今治市の担当課長らは首相官邸を訪問し、安倍首相、柳瀬唯夫首相秘書官と面談した。愛媛県の記録(職員の備忘録)には首相が「新しい獣医大学の考えはいいね」と発言し、柳瀬秘書官の「本件は首相案件」との発言が記載されていた(安倍と柳瀬はこれを否定した。なおこの愛媛県文書記録の公開は二〇一八年四月)。一五年六月に安倍内閣は獣医学部新設を閣議決定し、今治市は国家戦略特別区域での獣医学部新設を提案、一六年一月に同市が国家戦略特別区域に指定された。同時期に京都産業大学も京都府とともに獣医学部新設を提案した。同年九月、前川喜平文部科学事務次官は省内担当課から「獣医学部新設に係る内閣府からの伝達事項」という文書を示されたことを、のち一七年五月に明らかにした。そこには「新設開学まで最短のスケジュールで」、「官邸の最高レベル」、「総理のご意向」と記されていた。文書提示の後、和泉洋人首相補佐官から前川に獣医学部新設を急ぐようにと直接の要請があり、「総理は自分の口からは言えないから、私が代わりに言う」という発言もあった(和泉はこの発言を否定した)。

一七年一月の加計学園の事業者選定後、三月に国会でこの決定には安倍首相の特別な便宜があったのではないかと質されたことから問題は大きくなる。安倍首相は加計学園の獣医学部新設計画を初めて知ったのは一七年一月二〇日だったと述べ、国会で「私は影響のしようがない。私が働きかけて決めているのであれば責任を取る」とまで口にしたが、その後『朝日新聞』(二〇一七年五月一七日)が「総理のご意向」と書かれた文科省内部文書の存在を報道、疑念はさらに広がった。松野文科大臣は省内の調査で文書の存在は確認できなかったとしたものの、前川元事務次官が上記のような経緯を公表、内部告発によってメール文書と添付ファイルの存在が明らかになり、官邸が出した文章も発見された。再調査はしないとしていた内閣府がこれを調査し、「総理のご意向」と書かれた文書と同様のものが文科省内に存在していたことが明らかとなった。松野文科大臣はそのことを認めつつも、全ての文書の公開は、学校法人(加計学園)の利益に関わることを含むのでできないとした。論戦は翌年まで続いたが、多くの疑問が明らかにされないまま、一七年一一月、加計学園岡山理科大学獣医学部の今治市での開設が決められた。なお一八年四月の愛媛県文書記録の公開は、今治の市民団体が新設計画に関する全文書の公開を請求した結果で、同じ団体が一七年五月、県に対し情報公開を請求し担当者に尋ねた際、「廃棄済みのためない」と伝えられていた(『日本経済新聞』

二〇一八年四月一〇日)。

4 「桜を見る会」と文書破棄

森友、加計学園疑惑とともに、「モリ・カケ・サクラ」と称され、安倍政権の疑惑を象徴するとみなされたのが首相主催の「桜を見る会」問題である。二〇一九年五月、衆議院決算行政監視委員会で、安倍政権下、とくに二〇一四年以降この催しへの支出額が異常に伸び続け、二〇一九年は予算の三倍を超えるまでになったことが問題となった。出席者数も一四年から年々増え、一九年は一万八二〇〇人(招待者数は一万五四〇〇人)に達した。国会での追及から、この催しに様々な問題のあることが次々に明らかになっていった。

まず招待者選定の不明朗さである。野党の追及に対し政府は区分ごとの招待者数を記載した資料を数カ月間隠し続けた。招待者名簿は野党議員の質問通知の直後、シュレッダーで裁断された。この名簿も管理簿に記載せず、破棄に際して首相の同意(実際は内閣府の同意)も得ないままで、公文書管理法違反であった。次に招待者の内訳では安倍内閣期に政治家の招待枠が異様に増大し、一般の功労者数は急減していた。さらに安倍首相の妻が招待枠を持っていることも明らかになった。安倍の妻について森友問題では「私人」であることを理由に証人喚問をすり抜けた経緯があったが、「公式な催し」とされる桜を見る会ではその私人が招待枠を有していたのである。また安倍首相枠で「反社会的勢力」とされる人物が招待されており、その後、催しでの首相夫妻との記念写真がマルチ商法での勧誘に使われた例(48[よつば]ホールディングス)や、会長が招待されていたジャパンライフで会長を含む一四人もの幹部が巨額詐欺事件の容疑者として逮捕されるなどの事件が発生した。招待者の中では安倍晋三後援会(個人後援会)の会員が多く、後援会による桜を見る会前夜祭(ホテルでの夕食会)は開催費用が不明朗で、当初は出席者各人の拠出とされていたものの、首相側が八〇〇万円を超す補塡をしていたことが、安倍の首相辞職後にスクープされた(『読売新聞』二〇二〇年一一月二四日)。安倍は首相在任中、補塡などないと答弁していた。この行為は公職選挙法(選挙区内での寄付、買収)、政治資金規正法違反の疑いがあり、東京地検は捜査はしたものの不起訴とし、東京第一検察審査会が不起訴不当の議決をしたものの、地検が改めて不起訴としたため安倍の捜査は終結した。

5　情報公開条例と情報公開法

以上見てきたように二〇一〇年代半ばから発覚した情報の不開示、廃棄に関する事件は、情報公開法、公文書管理法が制定された下で起きたものであり、一方では情報公開制度を人びとが利用する中で事件が明るみになったものであった。日本の情報公開制度はどのように作られてきたのか。はじめに述べたように、日本の情報公開法制定は諸外国と比べてとくに遅かったということはない。きっかけとなったのは、一九七六年発効の国連「市民的及び政治的権利に関する国際規約」(国際人権規約の自由権規約[B規約])であった(日本は一九七九年に批准)。もともと一九四八年の国連「世界人権宣言」第一九条に「意見及び表現の自由に対する権利」が謳われており、国際人権規約(B規約)第一九条第二項では「すべての者は、表現の自由についての権利を有する。この権利には、口頭、手書き若しくは印刷、芸術の形態又は自ら選択する他の方法により、国境とのかかわりなく、あらゆる種類の情報及び考えを求め、受け及び伝える自由を含む」とより明確になった。八〇年には「情報公開法を求める市民運動」(現、情報公開クリアリングハウス)が発足し、八一年に「情報公開権利宣言」を発した。八二年には山形県金山町で日本初の公文書公開条例が施行され、八三年に神奈川県が都道府県として初めて公文書公開条例を定めた(二〇〇〇年には制度を拡充して新たに情報公開条例を制定)。九九年には全都道府県が同種の条例をもつに至った。

国のレベルでは一九九三年の細川内閣期に情報公開法制定に向けた動きが始まり(閣議決定)、村山、橋本内閣期に具体化し、九九年小渕内閣で行政機関情報公開法が制定され(施行は二〇〇一年)、〇一年には独立行政法人等情報公開法がこれに続いた(〇二年施行)。ただし発端の細川内閣期の動きは行政改革の中での位置づけであり、人びとの「知る権利」を根底に置くものでは必ずしもなかった。神奈川県などの情報公開条例が県民の「知る権利」を明記したのと対照的に、情報公開法には人びとの「知る権利」ないしそれを言い換えた言葉は存在していない。

同法の目的を定めた第一条は「行政機関の保有する情報の一層の公開を図り、もって政府の有するその諸活動を国民に説明する責務が全うされるようにするとともに、国民の的確な理解と批判の下にある公正で民主的な行政の推進に資することを目的とする」とあり、村山内閣期に発足した行政改革委員会行政情報部会専門委員会の議論では、情報公開制度は「究極的には国民主権の下での、責任ある政府を確保すること、いいかえれば、国政における公開制(openness)、責任制(accountability)を確保することに大体尽きる」とされた。つまり目的は政府が諸活動を説明することであって、その責務をどの程度と考えるかは行政機関の裁量に委ねられかねず、「官の支配」という行政文化を反映していた。その結果、第八条では、開示請求に対しそれに係わる文書が存在するかどうかを答えるだけで不開示情報を開示することになる時は、行政機関の長は「文書の存否を明らかにしないで、当該開示請求を拒否することができる」となったのである(新藤『官僚制と公文書』)。

6　公文書管理法

情報公開法が制定されても、公文書の管理や保存は省庁ごとにバラバラなままで、情報公開請求に対して文書不存在を理由とする不開示が多発した。さらに海自補給艦「とわだ」の航泊日誌破棄をはじめ、公文書管理をめぐる不祥事が続いた。中でも二〇〇七年の年金記録消滅(消えた年金記録問題)の影響はとくに大きな政治問題となった。こうした中で福田内閣は公文書管理法作成に乗り出し、二〇〇九年に公文書管理法が制定される(一一年施行)。これにより公文書の作成と保存に関する各省庁共通の規則を定め、各機関の長は管理状況を内閣総理大臣に報告し、それが公表されることとなった。

こうした事態の背後には、日米関係の公文書がアメリカで次々と公開され(機密情報も原則二五年で公開)、とくに沖縄返還に伴う「密約」(有事の際の核持ち込み、艦船等の核持ち込みを事前協議対象にしない、米軍が負担すべき原状回復費の日本負担等)が明らかになり、日本政府としての公文書管理・保存のありようが問われたことがあった。二〇〇九年の政権交代で、民主党鳩山政権は密約の調査と情報公開を進めた。しかし二〇一二年からの安倍自公政権は、政府が指定した事項は最長六〇年の機密保護とし、内容を知り公開すると罰するという特定秘密保護法を一三年に制定した。

二〇一一年公文書管理法施行にともない「行政文書の管理に関するガイドライン」(内閣総理大臣決定)が設けられ、各省庁は保存する文書等の種類や期間を定めた管理規則を整えた。保存期間満了後、公文書は国立公文書館へ移管されるか、期間を延長して当該機関で保存するか、廃棄するかのいずれかとなり、後二者の場合は内閣府への報告が必要となった。ただし保存期間には一年未満のものがあり、例えば森友学園との土地売買交渉記録が早期に廃棄されたように、ある種の文書は意図的にこの保存期間が適用される可能性もある。

森友、加計学園疑惑で批判が強まると、二〇一七年に安倍政権は管理のガイドラインを修正した。省庁内や他者との打ち合わせ記録も公文書化された。しかし打ち合わせ記録を議事録ではなく簡素化するとした経済産業省の内部文書が明らかになるなど(新藤『官僚制と公文書』)、議事録を議事要旨のみとしたり、そもそも記録を作らない可能性もある。実際、二〇二〇年六月に新型コロナ対策を検討する政府専門家会議の議事録が作成されていないことが明らかになった。政府は二〇年三月に新型コロナ問題を「歴史的緊急事態」に指定、将来への教訓として公文書の管理を徹底することを決定していたのだが。

おわりに――これからの情報公開制度

国際人権規約(B規約)第一九条をその名とするNGO団体「ARTICLE19」の専門家は、日本の情報公開制度の問題点を次のように挙げている(浜田ほか「社会的状況の国際比較による情報公開、公文書管理、秘密保護に関わる考察」)。①一九九九年の法制定以来、改正されていない(二〇一一年に改正案が出たが廃案)。アメリカは一九六六年以来六回改正し改善を図っている。②非公開規定があまりに多い。③手数料が高い。④監視機関がうまく機能せず、法的拘束力がない。⑤裁判所が非公開文書にアクセスできない。開示請求の結果、文書が存在するかどうかも答えなかったり、公開されてもそれが黒塗りされて(いわゆる「のり弁」)示されるのはこれらの結果である。例を挙げよう。二〇二〇年一〇月、発足間もない菅義偉内閣は慣行に反し日本学術会議の会員候補名簿から六人だけ任命を行わなかった。安倍内閣の内閣府で誰かがこの六人を外したらしいことが国会で明らかになり文書の開示請求が行われたものの、そこには「外すべき者(副長官から)」との手書き文字以外、全て黒塗りだった(『朝日新聞』二〇二〇年一二月一一日)。六人は二〇二一年四月、行政機関個

外すべき者(副長官から)　R2.9.24

[redacted]

図6-1　黒塗りされた文書

人情報保護法に基づき、任命を除外した根拠や経緯が分かる文書などを内閣官房と内閣府に自己情報開示請求したが、六月、内閣官房は「個人情報を保有していない」、内閣府は「公正かつ円滑な人事に支障を及ぼすおそれがある」として文書が存在するかどうかも答えなかった(『毎日新聞』二〇二一年七月八日)。

比較のために挙げられたアメリカの情報公開制度を見ると、憲法修正一条が言論・出版の自由を保障していたものの、第二次世界大戦中から戦後にかけて政府による統制や抑圧が増大したため、「知る権利」をもとにする社会運動が広がり、一九六六年に情報自由法が制定されて情報公開制度が整えられた。この制度の下で三〇年ないし二五年経った機密情報も公開され、私たち日本に暮らす者もその成果を享受するようになった。日本占領期の歴史の実像解明が進んだのもその成果の一つである。情報自由法は制定後改正を重ね、とくに一九七四年と九六年の改正で、公開請求に対し行政機関が非公開とすることができる適用除外事項を厳格化して列記するとともに、電子的な記録も保存ならびに公開の対象とした。NARA(National Archives and Records Administration. アメリカ国立公文書館ないし国立公文書記録管理局と訳される。連邦政府の独立機関で全米各地に分館、大統領図書館などの施設を持つ)がトランプ前大統領のツイッター利用停止措置後、その記録を全て収集済みとツイートしたのも、この対象のゆえである。

日本の情報公開制度の問題点を是正していくためには、「知る権利」を基礎にして情報の公開に向けてより強い権限を持つ機関が求められよう。また現在日本では公文書とされていない職員個人の備忘録や、会議の音声データなどもまとめて残すことを義務づけることが必要である。電子化された記録類は、紙媒体と異なり蓄積が容易である。情報公開法が施行される際、私は国家公務員として国立大学のある役職に就いており、公開請求があった場合に備え会議の議事録作成に携わっていた。正直に言ってそれはかなりの労力を必要とする作業だった。考えてみると、少ない人員で記録を管理するとなるとやっかいであり面倒な作業にしかならない。議事録は要旨にし、音声データをそのまま保存・管理して公開できるならばそうした作業は簡略化できる。

アメリカのNARAは強い権限を持ち、メモなどまで含めて公的記録を徹底して集めている。ヒラリー・クリントン元国務長官の私的メールアドレスでの公的情報利用問題も、そこから明らかになった。またNARAは、権限を行使するために数千人のスタッフと大きな予算を持っており、この点では日本との落差が著しく大きい。公的記録の保存、収集と分類には人員も予算もきちんと割くことが必要ではないか。

なお海外の文書館について、私が実際に調査した機関を紹介したことがあるので参照されたい(三宅「近代日本経済資料論5　海外文書館資料」)。また日本の国立公文書館、とくにアジア歴史資料センターは、インターネット上で多様な資料の検索と利用を可能にしたことで、各国の日本研究者から高い評価を得ており、その経験は今後の情報公開のあり方にも示唆的に思われる。

最後に日本の情報公開法が、国際人権規約を受けて、情報の開示請求が日本国民だけでなく「何人も」行えると規定していることは特記される(第三条以下)。現代日本の法には、言及する権利の及ぶ範囲を「国民」にとどめず「何人も」としているものが一定数あり、情報公開法はその一つである。こうした条項を活かしながら、国際的にみても恥ずかしくない情報公開制度の確立が求められている。

参考文献

新藤宗幸『官僚制と公文書――改竄、捏造、忖度の背景』ちくま新書、二〇一九年。

――『権力にゆがむ専門知――専門家はどう統制されてきたのか』朝日新聞出版、二〇二一年。

瀬畑源『公文書問題――日本の「闇」の核心』集英社新書、二〇一八年。

――『国家と記録――政府はなぜ公文書を隠すのか？』集英社新書、二〇一九年。

鶴岡憲一・浅岡美恵『日本の情報公開法――抵抗する官僚』花伝社、一九九七年。

日本弁護士連合会情報公開法・民訴法問題対策本部消費者問題対策委員会編『アメリカ情報公開の現場から――秘密主義との闘い』花伝社、一九九七年。

浜田忠久・小川千代子・小野田美都江「社会的状況の国際比較による情報公開、公文書管理、秘密保護に関わる考察」『レコード・マネジメント』七一号、二〇一六年。

布施祐仁『自衛隊海外派遣――隠された「戦地」の現実』集英社新書、二〇二二年。

布施祐仁・三浦英之『日報隠蔽――南スーダンで自衛隊は何を見たのか』集英社、二〇一八年。

三宅明正「近代日本経済資料論5　海外文書館資料」石井寛治・原朗・武田晴人編『日本経済史6　日本経済史研究入門』東京大学出版会、二〇一〇年。

第7章 沖縄基地問題とデモクラシー

明田川 融

はじめに

沖縄県では、これまで争点が明確な二つの住民投票が行われてきた。一つは、在日米軍の駐留条件などを定める日米地位協定の見直しと、沖縄にある米軍基地の整理・縮小について賛否を問うた一九九六年九月の県民投票である。いま一つは、九六年に日米両政府が返還に合意した普天間飛行場の代替施設建設のために日本政府が名護市辺野古で行っている埋め立てについて賛否を問う二〇一九年二月の県民投票である。

前者では、有権者の過半が地位協定見直しと米軍基地の縮小に賛成した。後者については、有権者（一一五万三六〇〇人）のうち、反対と答えた者が約三七・六％（四三万四二七三人）であったことから、それで果たして県民の意思と言えるのかとの疑問も呈せられた。しかし、約五二・五％という投票率、投票者の七一・七％が埋め立てに反対していることは重く受けとめられなければならない。また、投票が県内の全市町村で行われ、すべての市町村で反対票が賛成票を上まわった事実、とりわけ、普天間飛行場のある宜野湾市と名護市で反対票が有効投票の過半を占めた（宜野湾市：六六・八％、名護市：七三・〇％）事実も重い。

この投票結果は、米国大統領や日本の首相にも伝えられている。県民投票当時の、あるいはその後の首相たちは沖縄県民に「寄り添う」姿勢や「聞く力」をアピールするものの、辺野古が唯一の選択肢とし、同地の埋め立てを〝粛々と〟推し進めてきた。沖縄の人々に寄り添い、その声に耳を傾けるというのなら、辺野古の埋め立てを断念し、沖縄県外に代替地を求め、その土地の人々との調整に乗り出すべきではないのか、と政府を責めることは簡単かもしれない。しかし、沖縄、日米安保をめぐる政治史をひもとくとき、政府ばかりでなく国会、政党、そして、それらを直接・間接に選んできた私たちの考えや発言や行動の是非も厳しく問われなければならないことに気づく。

しばしば「民主主義」と訳される「デモクラシー（democracy）」は、もとは「普通の人々が力をもち、その声が政治に反映されること」を指すもので、いわば「民主力」とでも呼ぶべきものだった（宇野『民主主義とは何か』三六―三七頁）。人々の力を政治に反映させる仕方は、議会政治のように代表に託す間接的なものや、示威行動などの直接的な行動もある。本章では、日本本土で行われた日米安保条約改定反対運動およびいわゆる「沖縄国会」における沖縄返還協定審議を主にひもとき、これまであまり知られてこなかった戦後日本におけるデモクラシーの一面を明らかにしたうえで、歴史の必要性について考えたい。

1　安保改定反対運動と沖縄

一九五〇年代、米国統治下の沖縄に日本本土の米軍海兵隊が移駐し、核兵器が導入され、〝海兵隊と核兵器の沖縄《シマ》〟が形成されていくなかで、米軍により強権的に土地を接収される沖縄住民の利益を保護するために連携したり、沖縄住民が人間的な生活を送れるよう願い行動する本土の組織や個人もないわけではなかった(大内『海兵隊と在日米軍基地』二〇八—二一〇頁)。六〇年の日米安保改定期にも、「沖縄返還」と新安保条約破棄の闘いとして、鹿児島—東京間の沖縄行進を敢行した人々もあった。しかし、安保条約改定に反対する日本社会党、日本労働組合総評議会(総評)、原水爆禁止国民会議(原水禁)などが結成し、反対運動の指導部であった安保改定阻止国民会議のなかでこの沖縄行進の呼びかけに応じる者はいなかったという(『斎藤一郎著作集　第十一巻』二三九—二四一頁)。

沖縄不在の安保論議

安保改定当時は都内に住み、労組からの動員で国会周辺のデモに参加していた沖縄出身の上原成信《うえはらせいしん》氏(のち一坪反戦地主関東ブロック顧問)は、安保改定反対運動のなかで沖縄問題が取り組まれた記憶はなく、本土での議論は沖縄を新条約の共同防衛地域に含めるか否かの議論にとどまっていたと証言している(滝本「日米安保条約改定と沖縄」、および『琉球新報』二〇一〇年四月一八日)。同時期に『沖縄タイムス』大阪支局の記者として安保改定反対運動を目にした新川明《あらかわあきら》氏は、反対運動の主張は「要するに日本が米国に従属し、米国の軍事戦略の一翼を担うことに反対しているにすぎ」ず、日米安保は日本を「〝沖縄化〟することが狙い」であるという訴えに耳を疑う。新川氏にとって、そのような議論は、「安保問題とはすぐれて「沖縄」問題であり、「沖縄」問題とはとりもなおさず安保問題である」という基本的な認識を欠いたところで成り立つ議論にすぎないのだった（新川『沖縄・統合と反逆』八八―八九頁）。さらに新崎盛暉《あらさきもりてる》氏も、安保改定反対運動は「全体としてみればけっして沖縄を視野のうちには入れていなかった」と指摘している（中野・新崎『沖縄戦後史』一一八頁）。

安保改定反対運動の波紋

安保改定をめぐる政治過程は、一九六〇年五月一九日に衆議院日米安全保障条約等特別委員会での強行採決、次いで衆院本会議開会と国会会期延長の強行採決となり、さらに翌二〇日未明の衆院本会議における強行採決とつづく。岸信介内閣を強行採決の連発へと駆りたてたものは、アイゼンハワー米大統領の訪日予定日とされた六月一九日までに条約が成立しているためには――憲法の規定からも、また、国会運営からも――五月二〇日までに衆議院で条約を通過させなければならないという〝逆算〟の論理であった（道場「ゆれる運動主体と空前の大闘争」一一一―一一二頁）。

岸首相が「人心一新」「政局転換」を理由に内閣総辞職の意向を表明した日（六月二三日）の翌日の新聞は、安保改定反対運動によって米国政府および米国議会筋で日本に対する軍事的不安が――米軍による核兵器の持ち込みや日本の基地からの出撃行動に関わる事前協議制度の導入のほかにも――増大したと報じている。その軍事的不安とは、次の政権は岸政権よりやや左寄りか中立政権になるかもしれず、いざという時には「事前協議」をたてに米軍の活動を制限する可能性があり、さらに、左翼勢力が基地を妨害して、政権がこれをおさえきれなくなれば、基地が役にたたなくなる恐れがあるというものであった（中野編『戦後資料　沖縄』三〇五頁）。

そして記事は、米上院軍事委員会聴聞会において陸軍民政局長が、日本に対する不安増大のために「国防総省首脳は、今や琉球を無期限に保有する計画である」と述べたことに触れる。米国による沖縄の無期限保有方針は一九五三年一二月の奄美返還時すでに表明されていたとはいえ、安保条約改定反対運動が「そうでなくても遠い琉球の日本復帰の見通しをもっと遠く」したという認識が生まれつつあったことは看過し得ない。

このことを裏づける米側の資料がある（*Foreign Relations of the United States, 1958–1960*, Vols. XVII/XVIII, Document No. 558）。一九六〇年七月二七日、新たに発足した池田勇人内閣の小坂善太郎外相と会談したダグラス・マッカーサー二世駐日大使（対日占領を指揮したマッカーサー連合国軍最高司令官の甥）は、極東に脅威と緊張が存在する限り米国は沖縄の現状を維持するという方針により沖縄の施政権返還は不可能であること、さらに、「日本における最近の大混乱」の結果、米国では日本情勢の不確実さに照らして、アジアにおける自由諸国の安全にとって、米国による沖縄施政がかつてないほど重要になったという声が強まっているなどと外相に伝えた。そして大使は「日本政府が、岸首相と本官とでまとめた方針に従い、施政管理を日本へ返還するよう米国に圧力をかけないであろうことを信ずる。米国側では、沖縄島民が我々の施政に満足するよう最善をつくす」と述べた。これに対して小坂外相は、「日本政府にとって、政権から放り出されることを望むのでないかぎり、施政権返還反対を意味する如何なる立場もとることができないのは明らかだが」と断りながらも、「米国が沖縄島民を適度に満足させるという前提で、日本への施政権返還を求めないことを保証できる」と応じたのだった。

ときに安保改定反対運動は、「日本戦後史の画期をなす」などと評され(中野・新崎『沖縄戦後史』一一八頁)、高校の歴史教科書でも、安保改定阻止にくわえて民主主義擁護を掲げ、革新政党・労組・学生自治組織に多数の一般市民を加えた大規模な運動などと記述されてきた。だがそこには、強権的な軍用地接収、米兵犯罪、核戦略基地化など「沖縄の現実が抱えている問題」への十分な取り組みを欠く面があった。そして、沖縄施政権返還を「もっと遠く」したという認識を、当の施政権者である米国側に生みだしていたのだった。

2 沖縄の声に耳をふさぐ国会

いわゆる「沖縄国会」における一九七一年一一月一七日の沖縄返還協定の強行採決から五〇年、そして、同協定の発効による七二年五月一五日の施政権返還から五〇年を契機として、米国統治下で住民の行政府として存在した琉球政府が七一年一一月にとりまとめた「復帰措置に関する建議書」(以下、建議書などと略記)がふたたび注目をあつめている(以下、琉球政府局長会議における討議から建議書策定までの経緯に関する記述は、沖縄県教育庁文化財課史料編集班編『沖縄県史 各論編7 現代』三七六―三七八頁に基づいている)。

県民の声を本土へ

一九六九年一一月の日米首脳会談で「七二年返還」が決まったあと、沖縄では琉球政府の長を務める主席の諮問機関である復帰対策県民会議、日本政府との連絡調整を担う復帰対策室、琉球政府局長会議、さらには琉球政府内の有志からなる行政研究会などが復帰へ向けた準備作業を進めていた。そのなかから、沖縄施政権返還のあり方を最終的に決定するために七一年一〇月一六日より開かれる臨時国会に向け、住民の声を集約して、日本政府と国会に要請しようという気運が生まれ、建議書へと結実する作業がはじまる。

要請の柱として、①県民福祉、②地方自治の確立、③反戦平和、④憲法の下における基本的人権の回復、⑤住民本位の経済開発、が建てられた。屋良朝苗《やらちょうびょう》主席は、県民福祉が「第一にして考える政治理念、政治姿勢」で、「人間尊重に通ずる」との考えを示した。

一〇月二〇日の琉球政府局長会議(臨時)に付議された案件には、施政権返還後も米軍に提供する軍用地の使用を地主が拒んだ場合に引き続き当該地の暫定使用を認める日本の法律となる「沖縄における公用地等の暫定使用に関する法律」案が含まれていた。法案は本土と異なる制度を沖縄に押しつけるものであり、「本土並返還という沖縄返還の基本原則にも反する」として、法案への反対意思が示された。本土に適用された「(日米)地位協定の実施に伴う土地等の使用等に関する特別措置法」では強制使用できる期限が「最大限6ヶ月」であるのに対し、沖縄の土地等については「5年」に及ぶことも問題だった。

建議書は、一一月六日には原稿ができ、文案の読み合わせも進められるが、その途中、沖縄で行われていた返還協定に反対するデモ参加学生集団の行動により警察官一名が死亡する。現在の沖縄県議会に相当する琉球政府立法院の自民党議員団などが主席退陣を求めるなかでも読み合わせは続けられ（一四日）、一六日、ついに一三二頁に及ぶ建議書ができあがる。しかし、復帰の在り様を決める国会で県民の声を集約して日本政府と国会議員に要請するという当初の期待はくじかれる。屋良主席が建議書を国会へ届けるまえの一七日、衆議院の沖縄返還協定特別委員会（協特委）が協定を強行採決してしまったからだ。

強行採決

沖縄返還協定を審議する「沖縄国会」（一九七一年一〇月一六日―一二月二七日）における各党の勢力は、自民三〇一（与党）、社会九〇、公明四七、民社三二、共産一四（以上、野党）であった。これら国会議員を選出した総選挙（六九年一二月二七日実施）の結果からは、「長期低落傾向」を示しはじめていた社会党の支持層から大量の棄権者がでて自民党当選者を増やしたことが、また、野党の反発にもかかわらず衆参両院で重要法案を強行成立させた与党の路線を国民が受け入れたことが推測された（石川・山口『戦後政治史 第四版』一〇二―一〇三、一一二―一一三、二七八頁、新川『田中角栄』七五―七七頁）。特記すべきは、七〇年一一月一五日に行われた戦後沖縄初の日本国政参加選挙で衆議院議員に当選した西銘《にしめ》順治（自民）、國場幸昌《こくばこうしょう》（同）、上原康助《うえはらこうすけ》（社会）、安里積千代《あさとつみちよ》（社会大衆）、瀬長亀次郎《せながかめじろう》（人民）の五議員が審議に参加したことであった（なお、同選挙により参議院議員には稲嶺一郎《いなみねいちろう》［自民］、喜屋武眞榮《きゃんしんえい》［革新共闘候補］が当選していた）。

野党側は、与党が協定の強行採決に踏み切るのではないかと懸念していた。懸念は自民党の議席が過半を占めることだけでなく、安保改定や日韓基本条約審議などの前例に照らせば、強行採決は自民党の〝お家芸〟だという認識にも由来した。さらに、当初は一二月二四日までと決めてあった会期から逆算して、三〇日前の一一月二五日までに協定が衆議院を通過すれば、参議院での審議にかかわりなく、会期切れと同時に自然成立するという〝逆算の論理〟が与党の頭のなかで働いているという判断もあった。

それだけに野党側は「民主主義のルールに反する」強行採決を行わないという言質を引きだそうと、一度ならず佐藤栄作首相に詰めよった。しかし首相は、「国会の場は民主主義のルールによって行われるもの」としながらも、多数によって否決されればそれに従い、多数によって認められれば成立するのが「議会制民主主義というのじゃないでしょうか」と述べるにとどまり、強行採決を行わない旨を言明しなかった（『第六十七回国会　衆議院　沖縄返還協定特別委員会議録』第三号および第五号）。

そして協特委における審議は、山口県にある岩国基地への核持込み疑惑に関連して大出俊《おおいでしゅん》議員（社会）が質問している途中、青木正久理事（自民）より質疑打ち切り動議（らしきもの）が出され、「聴取不能」「議場騒然」のうちに突如幕を下ろすことになった。まだ、沖縄選出の安里・瀬長両議員を含め質問通告ないし質問予定者が残っており、参考人意見聴取や公聴会の開催なども与野党間で協議中であったにもかかわらず、である。沖縄地元紙による速記も、国会の会議録も、記録者が聴き取れないほどの混乱ぶりを記しており、じっさいのところ、櫻内義雄委員長が船田中《ふなだなか》衆議院議長に送った報告書にあるような、「本件は承認すべきものと議決した」かどうかさえ判然としない有様であった(『琉球新報』一九七一年一一月一八日、および『第六十七回国会 衆議院 沖縄返還協定特別委員会議録』第七号)。

何をもって審議が尽くされたとするかは難しいが、野党側は「実質審議日数が五日、審議時間はわずか二十三時間四十分」と主張した。もっとも与党側は、一九六七年二月に沖縄問題等特別委員会の設置が決定されて以来、前回国会までに「委員会を開くこと合計百二十六回、沖縄問題に関する質疑時間は約二百四十時間に及んで」いると主張した(『第六十七回国会 衆議院会議録』第一八号)。だが、沖縄返還協定の締結は七一年六月であり、それを審議する特別委員会での採決のあり方を論じるのに、六七年二月まで遡るのは無理があろう。当の協特委の櫻内委員長も、「他の重要案件に比べて時間は不足している」との認識を示している(『琉球新報』一九七一年一一月一八日)。

3　国政のなかの沖縄

強行採決という事態に対して、沖縄選出の国会議員(衆議院)、沖縄の市井の人々からは、復帰を促進するものだと歓迎する声、数の暴力、議会制の危機だと批判する声が交錯した。

数の暴力

沖縄選出の国会議員(衆議院)のうち、自民党の西銘・國場両議員は、協定の内容に必ずしも満足ではないが与野党が折り合わず採決はやむを得なかった、協定の問題点は施政権返還後に手直しすればよい、協定の早期成立が早期復帰を願う県民のためになる、という趣旨の談話を発表した。西銘議員は、「沖縄の社大、人民両党の党首でもある安里、瀬長の両氏の質疑がはばまれたことは協特委理事としても気が重い」と両議員を気遣った(『沖縄タイムス』一九七一年一一月一八日)。

野党側では、上原議員が、「強行採決でなく採決不在というべきだ」と述べた。協特委での質問を封じられた安里議員は、「〝県民の声〟を問答無用とするこのような暴挙は沖縄県民と国民から糾弾されてしかるべきだ」と憤懣やるかたなかった。瀬長議員も、「予定していた協特委での質問権も踏みにじるなど全く許せない」と怒りをあらわにした(同前)。

議員たちが代表する沖縄の人々の声も割れていた。一つは、強行採決はやむを得ない措置であり、返還協定の批准、次いで復帰を促進するうえでは歓迎すべきだという声である。いま一つは、①核撤去の不明確さ、基地の機能や態様といった県民が高い関心を寄せる問題について、国会での質疑を通じて明らかにする機会が奪われてしまった、そして②数にものをいわせた県民無視の暴挙だ、という声である。

後者に関して、二〇代の会社員は、「どうしてもっと論議を重ね、討論して煮詰めてから採決に移らなかったか」と述べ(『沖縄タイムス』一九七一年一一月二〇日)、また、沖縄県祖国復帰協議会(復帰協)・国会行動団の一員として上京中であった三〇代の自治体職員は、沖縄住民を無視した「数の暴力」で〝琉球処分だ〟と憤った(『琉球新報』一九七一年一一月一八日)。さらに、那覇市在住の公務員は強行採決と国政参加をからめて、五二年発効の対日講和条約――その第三条により、沖縄は引き続き米国統治下に置かれることとなった――について沖縄の人々に一言も相談しなかったという本土の沖縄に対する負い目を払拭するのが「「国政参加」のねらい」であり、沖縄代表も参加させたうえで数にものをいわせれば、「沖縄も共同責任になる」と批判した(『琉球新報』一九七一年一一月二〇日)。

国会は、強行採決に反発した野党が審議を拒否して空転したが、一一月二〇日にいたり、衆議院議長の斡旋で自民、社会・公明・民社による幹事長・書記長会談がもたれたことで動きだす。自民党幹事長が野党の主張も審議記録に残したいと説得すると、社会党書記長は会談を不調ということで流したがった。二一日、同党は、衆院協特委での強行採決を合法化する審議には応じられないという原則を確認する。これに対して公明党書記長は、非核三原則を決議することを条件に態度を軟化させ、民社党もそれに同調する形勢となる(保利『戦後政治の覚書』一三四―一三五頁、および村井『佐藤栄作』三三七頁)。

国政のなかの沖縄

このころ、与党内では単独採決をした場合に衆院正副議長の辞任問題はもとより、首相退陣問題にまで発展するのではないかという予想があり、ポスト佐藤をめぐる福田(赳夫)・保利(茂)ラインと田中(角栄)・竹下(登)ラインの確執が表面化していた(保利『戦後政治の覚書』一三六頁)。そのさなか、沖縄の地元紙では、自民党執行部の強い態度に野党がのってこないので、幹事長時代に築いた公明・民社両党とのパイプをもち「野党に顔の広い」田中の根回しが奏功したことが指摘される(『琉球新報』一九七一年一一月二二日)。

こうして、党利党略、ポスト佐藤を目論む派利派略が絡み合いながら生みだされた議長斡旋と称するものの内容は、①二二日に協特委を再開し、補足質問を行う、②二四日に本会議を開いて返還協定を上程する、③公明党が非核三原則と基地縮小の決議案を提出する、というものであった。補足質問とは協特委での強行採決によりなされなかった安里・瀬長両議員の質問を指すが、両議員は「国会の尻ぬぐい、単なる形式だけのいいわけのための補充質問のために選ばれたのではない」「自民党の非をおしかくすための工作に沖縄選出議員を利用している」と質問に立つことを拒否した（同前）。安里議員は、二二日の委員会で質問に立つよう要望する民社党と、拒否するよう迫る社会党との板挟みにあい、悩みぬくこととなる（『琉球新報』一九七一年一一月二五日）。

この件について、一一月二二日の『沖縄タイムス』社説は、「安里、瀬長両議員のこの態度を強く支持する」としたうえで、沖縄返還協定の審議において、沖縄は〝主人公〟であり、そこに住む人たちの信託をうけて選出された両議員の発言は沖縄の切実な要求であり訴えであるはずなのに、補足質問や残余の質問というところに、国政における多数党の恣意という「代議制民主主義の虚像」を見ることができると述べている。そして社説は、「国政の中で、沖縄が果たしてどういう位置を占めるか」ということには不安と疑惑と「かすかな期待」をもって注目したところであったが、それは「完全に幻想」で、「国政の中の沖縄」に対する回答は「過酷にも〝残余〟であり〝補足〟である」と嘆じるのだった。

本土政党のエゴイズム

建議書を取り上げることもなく、安里・瀬長両議員が質問を行うこともなく、衆議院は二四日の本会議において、社会・共産両党議員と安里・瀬長両議員欠席のまま、賛成二八五、反対七三をもって沖縄返還協定を承認した。奇しくも一年前の一一月二四日は臨時国会が開かれ、沖縄選出の議員たちが国会での活動をはじめた日であった。地元紙は、この一年間、議員が沖縄を政治の中心に据えようと努力し、意見交換もし、ときに一丸となって政府と折衝し、協特委での強行採決にさいしては西銘議員が安里・瀬長両議員に発言させてほしかった旨の心情を述べるなどしたが、国会には「沖縄選出議員の同僚への思いやりも吹き飛ばす本土政党のすさまじいまでのエゴイズム」があった、と振り返っている（『琉球新報』一九七一年一一月二三日）。

このとき琉球大学の教員であった大田昌秀は、衆院の協特委および本会議における採決は、「議会制民主主義の空洞化」を物語るもので認めがたいとしつつも、国政参加の意義をも否定するような議論は問題で、国政参加があったから本土の人々に事態を真剣に考えさせることができるのであり、本土の政治そのものの変革を日本国民自身に考えさせていくべきであろう、とコメントした（『琉球新報』一九七一年一一月二五日）。

その大田は、四半世紀のち、沖縄県知事として本土の政治と向き合うこととなる。復帰時の建議書も取りあげていた軍用地の強制・暫定使用問題では、民有地を米軍用地として強制使用するさい地主に代わって知事が行う代理署名を拒否するという手段にも訴えた。しかし一九九七年四月、使用期限が切れた土地も暫定使用可能にし、米軍用地の不法占拠期間を生じさせないようにする駐留軍用地特別措置法改正案が、満足な審議もなされないまま衆議院の約九割、参議院の約八割の賛成をもって成立する。沖縄現代史家が「圧倒的多数の本土が沖縄を数の論理で従わせる姿勢が象徴的に表れた法改正」と書き記す事態であった（櫻澤『沖縄現代史』二五六頁）。その多数派形成の背景には、自民党内の自・社・さ連携継続派と、保守勢力である新進党と連携しようとする保保派との党利党略・派利派略の対立もあった（塩田『内閣総理大臣の沖縄問題』一五九―一六六頁）。かつて本土政治の変革を訴えた大田の眼に、この情況はどのように映ったであろうか。

おわりに

かつて米国の歴史家ジョン・ダワーは、自らの仕事について、「遠くない過去の時代が織りなす複雑さのなかにあるパターンを探しだそう」とすることだと書いた（ダワー『昭和』ⅳ頁）。読者の皆さんは、本章で取りあげた遠くない過去の物語からどのようなパターンを探しだしただろうか。

まず、日米安保やその根幹である在日米軍（基地）に関わって本土の人々が〝民主力〟を――直接的な仕方であれ、間接的な仕方であれ――発揮するとき、その影響は必ず沖縄に及ぶことを挙げなければならない。次いで、戦後の比較的はやい時期から、基地あるゆえに沖縄が抱える問題に向き合おうとした本土の人々や組織はあったものの、多くは――意識的にか無意識的にか――そうした問題を視野に入れて真摯に向き合おうとはしてこなかったことが挙げられよう。関連して、沖縄から発せられる声に耳を傾けようとしない、あるいは、耳をふさごうとすることも特徴の一つであろう。さらに、「国権の最高機関」である国会では、沖縄の代表と十分な質疑を行わず、最後は〝数〟にものをいわせて圧倒する。こうした沖縄と本土のあいだにある歴史のパターンを探ることは、現在の普天間飛行場返還・辺野古新基地建設をめぐる日本政府・国会・政党の考え方や言動、さらに、基地移設は「自分の裏庭にだけは絶対にいやだ(Not In My Backyard)」という本土の人々の態度について考察するうえでの一助となろう。

これまで沖縄と本土のあいだには、このような問題とパターン(と少なくとも私が探しだしたもの)があった。安保・基地に関して本土の人間の考えや言動が沖縄を直撃するのならば、私たちはどのように考え、語り、行動すればよいのか。沖縄から発せられる多様な声に真摯に耳を傾け、議論を尽くして意思決定を行う。そのためにも、先ずやるべきは、沖縄と本土との過去の関係をたずね、そこから問題とパターンを引きだしてくることであろう。だから私は、「歴史は必要だ」と信じる。

参考文献

新川明『沖縄・統合と反逆』筑摩書房、二〇〇〇年。

石川真澄・山口二郎『戦後政治史 第四版』岩波新書、二〇二一年。

宇野重規『民主主義とは何か』講談社現代新書、二〇二〇年。

大内照雄『海兵隊と在日米軍基地——日本「本土」にあった沖縄』文理閣、二〇二〇年。

沖縄県教育庁文化財課史料編集班編『沖縄県史 各論編7 現代』沖縄県教育委員会、二〇二二年。

『斎藤一郎著作集 第十一巻 安保闘争史 上』あかね図書販売、二〇〇九年。

櫻澤誠『沖縄現代史——米国統治、本土復帰から「オール沖縄」まで』中公新書、二〇一五年。

塩田潮『内閣総理大臣の沖縄問題』平凡社新書、二〇一九年。

新川敏光『田中角栄——同心円でいこう』ミネルヴァ書房、二〇一八年。

滝本匠「日米安保条約改定と沖縄——条約区域適用化と施政権返還を求める視点について」『年報 日本現代史』一五号、二〇一〇年。

ダワー、ジョン・W『昭和——戦争と平和の日本』明田川融監訳、みすず書房、二〇一〇年。

中野好夫編『戦後資料 沖縄』日本評論社、一九六九年。

中野好夫・新崎盛暉『沖縄戦後史』岩波新書、一九七六年。

保利茂『戦後政治の覚書』毎日新聞社、一九七五年。

道場親信「ゆれる運動主体と空前の大闘争——「六〇年安保」の重層的理解のために」『年報 日本現代史』一五号、二〇一〇年。

村井良太『佐藤栄作 戦後日本の政治指導者』中公新書、二〇一九年。

Foreign Relations of the United States, 1958–1960, Volumes XVII/XVIII, Indonesia; Japan; Korea, Microfiche Supplement, United States Government Printing Office, 1994.

第III部

「未来としての過去」

——現在は過去にも未来にもつながっている

現在、われわれは未来のために、新しい「働き方」を求めており、「少子化」の克服を課題としており、「疫病」との付き合い方を探し求めており、「ポスト真実」や「フェイクニュース」に対処する必要に直面している。そのようにして、われわれは歴史の一ページを作ろうとしている。つまり、われわれは現在において未来を作ろうとしているのである。しかし、われわれが未来のために現在においてなにができるかは、われわれが過去に成してきたことを離れては考えられない。全くの白紙状態から未来を作れるわけではない。未来に過去が生きるのである。われわれという現在の行為者を通じて、「現在は過去にも未来にもつながっている」のである。

（南塚信吾）

第8章 働くことは変化している

三宅明正

はじめに

近年、人びとの働き方が大きく変わってきている。世界全体でも、日本においてもである。世界各国では共通してフリーランスなど雇用類似（雇用と自営の中間的な働き方）の働き方が増えている。それに加えて日本では、働く人びとの平均所得が二〇世紀末から二〇年以上停滞したままに推移し、OECD諸国中例外的な状況にある。働き方の多様化と労働条件の悪化が同時に進んだ日本の特徴として強く指摘されるのは、労働者の個別企業への依存度の高さである。

では日本でどうしてそうした事態が現れるようになったのか。それを探るために、働く人びとが何を求めてどのように行動してきたのかを検討しよう。

Ⅰ 状況

タクシーのいない空港

二〇一九年の秋、三年ぶりのアメリカ行でサンフランシスコ空港に着いたとき、タクシー乗り場に並んだのはたった一人という経験をした。はじめは戸惑ったが、そこはスマートフォンのアプリを介して自動車所有者・運転手と乗客をマッチングさせるウーバーUber発祥の地で、ウーバーならびに類似のサービスをするリフトLyftの車に多くの人が向かっていたのである。タクシーより安い料金と車が事前に決まっていることなどが理由である。空港だけでなく市内でもタクシーの姿を見なくなった。素人による人の運送業務にまず感じたのは安全性の危惧である。しかしウーバーやリフトのホームページにはタクシーと比べ危険度の違いがない統計が示され、乗客と運転手の相互評価を行うことで安全性をさらに高めていくと記されていた。

こうした仲介サービス業が安く人を運べる主な理由は、ギグワーカー(クラウドワーカー「クラウドサービスを用いて仕事をする人」ともいう)の労働に求められる。ミュージシャンの臨時の演奏を意味するギグ(gig)ワーカーとは、都合のつく時間に単発で仕事をする人である。企業に雇用されるのでなく、個人事業主として契約し作業を請け負うので労働法の規制対象ではない。企業が、雇用であれば負担しなければならない経費を免れているのである。ギグワーカーの中には単発の請負ではなく安定した雇用を求める人が少なくない。一方で「空いた時間」に「短時間」「自由に働ける」ため支持する人もいる。雇用の場合、法的保護を受ける一方で時間も働き方も経営者の指揮下に置かれるからである。

　ギグワーカーは近年多くの国で増加した。日本でも増えている。ただしギグワーカーに公的な規定があるわけではなく、従って統計もない。しかし日本の政府関係者もフリーランス的な働き方への関心を強めている(内閣府政策統括官『日本のフリーランスについて』)。政府のとらえ方ではフリーランスは「特定の組織等に属さず、独立して様々なプロジェクトに関わり自らの専門性等のサービスを提供する」就業者とされ、統計では伝統的自営業を除く「特定の発注者に依存する自営業主、いわゆる雇用的自営業主」がそれに近いとされる。ギグワーカーもここに入るが、インターネットのプラットフォームを介し単発で仕事を請け負うことが多い点で一般的なフリーランスと異なっている。自営業主、個人事業主数は減少してきたが、特定の発注者に依存する「雇用的自営業主」は一九八五年一二八万人→二〇〇五年一六四万人とふえ、個人事業主内での割合を高めてきた。二〇一九年推計値でフリーランスは総計三〇六万人から三四一万人である。他方、民間企業の調査では、フリーランスは二〇二一年に一五七七万人と、二〇年から五〇〇万人増加したとするものもある。そのうち「自由業系フリーワーカー」(ギグワーカーに相当)は、二〇年の五八万人から二一年一月に三〇八万人と爆発的に増え、フリーランスの増加の半数を占める(副業を含む。ランサーズ『新・フリーランス実態調査　二〇二一―二〇二二年版』)。コロナ禍の中でウーバーイーツ Uber Eats など食事配達員の姿は私たちの眼前に広がった。

　ギグワーカーなど雇用類似の働き手への対策が各国で問題となっている。イギリスは二〇二一年に最高裁判所がウーバーの運転手を請負ではない就労者とし、最低賃金等の対象にした。ＥＵも二一年に最低報酬や労働災害時の安全網を適用する法案を公表した。アメリカではウーバー発祥のカリフォルニア州がギグワーカーを原則従業員とする州法を二〇年に施行、これに企業側が反対し住民投票や裁判で争いとなった。日本では二二年五月現在、ギグワーカーは労働者とはみなされず、宙ぶらりんのままである。彼らには労働時間の上限規制もなく、労災保険も一部の業種に限定した制度があるだけである。ギグワーカーはより多くの報酬を求めて作業を急ぎがちである。二一年四月、東京でウーバーイーツの自転車配達をしていた男性が人を死亡させる事件が起きた。二二年二月、東京地裁は自転車事故では異例の業務上過失致死罪で有罪判決を出した。裁判の過程で一定時間内にある件数の配達をこなすと、支払いが上乗せされる仕組みも明らかになった(『朝日新聞』二三年二月一九日)。ウーバーで働く人びとは労働組合を作り会社側に団体交渉を求めているが、会社側は彼らは労働者ではないとして応じず、東京都労働委員会で係争中である。

社畜、フリーターとブラック企業

非正規雇用者との対比で正規雇用者は恵まれていると言われる。一般的にはそうである。一九八六年に限定された職種のみを対象とする労働者派遣法が施行され、その後職種の範囲が拡大され派遣労働者数は伸びつづけた。しかし二〇〇八年のリーマンショック後、派遣切りで急減し、一二年に日雇い派遣が禁止されてからは伸び方が減った。二一年の数は一六九万人である。派遣という働き方が、短期間に、自分の選んだ職種や仕事で働きたいという人びとの要求に応えていることは確かである。一方で、雇用期間の定めがない(といっても定年制はある)という安定と引き換えに、正規雇用者が会社の強い指揮命令権の下で、どのような職種の仕事であっても、どこの勤務地であっても(出向を含めて)、従わざるを得ないものであることも確かである。

経済大国化する一方で労働時間の長さが国際的に批判され、「過労死一一〇番」が開設されるなど、日本の「サラリーマン」のありようが問題になっていた一九八〇年代後半、サラリーマンでもあった作家安土敏(荒井伸也)が「新聞記者と雑談している時に偶然、口から出てきた」「社畜」ということばは、日本の「会社員」を自嘲的にあらわすものとして広がっていった(『朝日新聞』二〇一八年九月一〇日)。同じ時期、当初は「人生を楽しむ」、「自分探し」のためとしてもてはやされたのが、アルバイトや派遣などで生計を立てる若者を指す「フリーター」ということばであった。だが一九九〇年代以降、日本経済の長期停滞のなかで、若者をめぐる雇用の状況は大きく変化する。

有効求人倍率が一・〇を下回った一九九三年から二〇〇五年、二〇〇八年から一三年に学校(大学、専門学校、高校等)を終えて就職しようとした人びとは、就職氷河期世代と呼ばれている。前半には団塊ジュニア世代と呼ばれる一九七〇年代前半出生者が含まれていて数が多く、卒業時の未就職や、就職してもその後離職すると不安定就業を余儀なくされる人びとが少なくなかった。日本では学校を卒業した年に企業が採用する、「新卒一括採用」が高度経済成長期から一般化しており、それが状況をいっそう深刻にさせていた。

卒業する若者はすぐ正規雇用職に就かないと不安定就業のままになるのではないか、こうした意識が広がると、学生が就職活動に熱心になるいっぽう、一九九〇年代から大学でもそのためのガイダンスやエントリーシートの書き方まで、就職に関する取組みが活発に行われるようになった。時を同じくして、一部の企業が「正社員」＝長期雇用を掲げながら、初めから使い捨てにする前提で若い労働者の大量採用に乗り出した。ブラック企業である。

二〇一三年の新語・流行語大賞に選ばれた「ブラック企業」とは、世紀転換期から大学などの就職部（課）で求人票の扱い要注意とされていた企業群である。理由は離職率、特に短期間でのそれの高さである。二〇〇一年に大学に入り、その後若者の労働問題の解決を目指すＮＰＯを設立する今野晴貴は、自らの学部学生時代に、若者に「正社員になれ」というプレッシャーが「脅迫的」であることに違和感を持ったこと、若年非正規雇用者増加問題が若者だけの問題ではないことを痛感し、相談や調査活動に取り組んだことを述べている。彼の著書（今野『ブラック企業』『ブラック企業２』）は、その実態、特徴、見分け方から、それが日本的雇用の特質の一部が生み出したものであることの解明に進み、若者と周囲の人びと、社会がとるべき対策の方向を論じている。日本的雇用の特質の一部とは、企業の強い命令権の悪用、それと裏腹の「雇用保障」で、「正社員」とされても実際は短期間の長時間労働で使い捨て等である。

では雇われて働くということは、どういう特徴を持っているのか、そして働く人びとは自らの状況をどうとらえ、どのように変えようとしてきたのか、その歴史をみてみよう。

2　背景

雇用労働と労働組合

今の私たちは職業選択の自由を手にしている。もちろんみなが希望する職業に就いているわけではなく、不本意な職できつい労働をしている人の方が多い。しかし生まれたときから決まった身分があり「あなたはここに住み、この仕事をしなければならない」と強制されているわけではない。そうした身分制は近代市民革命によって廃止され、それ以後居住地や職業の選択は本人の自由となった。しかしこの自由は同時に土地や道具など生産の手段からの自由でもあった。手段をなくした人びとは、雇われて働くしかない労働者になる。終身的な労働者である。いっぽう商人や地主、旧領主の中から資本を元にして製造業などに乗り出す資本家が現れ、労働者を雇い、彼らを指揮・命令して働かせ、生産を行った。雇われた者の労働力は資本家に売られ、資本家は賃金を支払ってこれを買う。このように労働力は商品になった(賃労働)。

産業革命を通して工場には蒸気機関による動力とそれを用いた機械が導入され、工場制機械工業が広がると、資本家は必要なときに必要な数の労働者を雇い入れ、不況になると賃金を切り下げ、自由に解雇した。労働者は抵抗したが、資本家は団結禁止政策で応じ、彼らの行動を抑圧した。さらに低賃金で雇える女性や児童の労働者もふえ、劣悪な生活が社会問題化する中で、労働者はまとまった抵抗を強めるようになり、一九世紀半ばのイギリスで機械工をはじめ熟練労働者からなる新しい団結組織が現れた。それは職能ないし職業別の労働組合(craft union)で、組合員資格を厳格な徒弟修業を終えた熟練工に限定し、組合費による共済制度やストライキ基金を持っていた。労働力の供給を制限する機能を組合が有することで、職能の独占を武器にして労働時間や仕事量を制限し、賃金や雇用量を守ろうとしていった。大工をはじめとする建築や運輸等の分野で職能別組合が広がり、労働組合が社会の中に定着した。その後、職能別組合に加えて、多様な職業や職種の労働者が産業の単位でまとまるようになり（産業別組合）、労働組合の多数になっていった。

イギリスで労働組合運動を思想的に体系化したのは経済学者のシドニーとベアトリスのウエッブ夫妻だった。産業民主主義やcollective bargaining（現在は「団体交渉」と訳されるが、初めは日本語では「共同取引」や「集合取引」とされていた）ということばは、夫妻の造語である。夫妻は、労働組合とは、労働者の長期的な生活を守るために労働力の集団的な売り手として資本家と取引する（collective bargaining）組織だとしたのである。

労働組合に思想的影響を与えたのはウエッブ夫妻だけではなかった。大陸ヨーロッパでは社会主義や共産主義、無政府主義など理想主義的思想の影響力が強く、またカトリックも人道主義の立場から労働組合運動を支援した。ローマ法王レオ一三世は一八九一年に社会問題に関する回勅を出し、社会主義、共産主義思想の広がりに対抗して労働者の貧困や境遇改善に教会の主体的な取り組みを指示し（村本「回勅と経済問題」）、これを受けて各地にキリスト教系労働組合が作られた。アメリカ初の労働者全国組織となる労働騎士団（ナイツ・オブ・レーバー）もカトリックの影響下にあった。アメリカではストライキが日常化し、州議会との対立も起きて組織は衰えるが、これに変わってサミュエル・ゴンパーズが一九世紀末に設立したアメリカ労働総同盟（AFL）が力を伸ばした。ゴンパーズは集合取引を重視したが、もともと取引の自由を確保するために制定された一八九〇年の反トラスト法（シャーマン法）を根拠にして、労働組合は抑圧された。企業のトラストよりも、むしろ労働者の団結にこの法が適用されたのである（濱口『団結と参加』）。

労資の同権化

初期には団結禁止令や、反トラスト法で抑圧の対象とされた労働組合は、第一次世界大戦をきっかけに、国家の中にその存在を積極的に認められるようになる。大戦は初の総力戦として戦われ、戦争のあり方を、軍隊対軍隊から、工業力対工業力、国民対国民へと変えた。陸海空の全てに新兵器が登場し、火薬の製法も簡便化されるなど、帰趨を決めるのは工業生産力そのものとなり、労働者、労働力の積極的動員が目指された。当初戦争に批判的だったドイツ、イギリス、フランス等各国の労働組合は戦争支援に転じ、「城内平和」のもと、労働のあり方を議論する公的委員会等への労働組合代表の参加を通して国家内部における位置を高めていった。労働者に選挙権を付与する普通選挙制もまた、第一次世界大戦を通して各国に広がった。

大戦はロシア、さらにドイツの革命で終結に向かう。ロシアはソビエト、ドイツはレーテなど、直接民主主義の協議組織に兵士と労働者が結集した。ドイツではレーテ内急進派と距離を置く労働組合は、資本家代表と中央労働共同体協定を結び、団結権に加え労働協約と事業所内労働者委員会設置などが実現する。帝政廃止後ドイツ臨時政府はレーテ急進派を弾圧し、ワイマール共和国が発足する。社会権を明記したワイマール憲法の下、労働者が主張した「社会化」要求は労資同権化として具体化する。内実は産業別労働組合による collective bargaining と、従業員代表と経営代表による企業レベルでの「共同決定」機関の導入という「複合的枠組み」であり、それが以後の労資関係を特徴付けるものとなる(兵藤「現代資本主義と労資関係」)。実際、労働基本権の承認、労働組合の体制内での制度化と労使協議機関の設置は、各国で追求された。

さらに労働者保護を唱える国際的な運動の高まりや、ロシア革命による社会主義国家誕生を背景に、ベルサイユ講和条約第一三編「労働」第二款一般原則をもとにして国際労働機関（ＩＬＯ）が設立される。一般原則第四二七条には、結社の自由など九項目の基本原則が掲げられており、その第一は「１　労働ハ単ニ貨物又ハ商品ト認ムヘキモノニ非ストノ前記ノ基本原則」であった。

3　日本の特徴

労働非商品の原則と人格尊重

ベルサイユ講和条約「労働」編の一般原則は、特に日本の労働組合運動に大きな影響を与えた。自分たちの主張と合致していると受け止められたからである。条約締結二カ月後の一九一九年八月に開かれた友愛会七周年大会は次のように宣言し、大日本労働総同盟友愛会と改称して日本労働運動のナショナルセンターとなることを明らかにした。

宣言　人間はその本然に於て自由である。故に、我等労働者は、如斯《かくのごとく》宣言す。労働者は人格者である。彼はただ賃銀相場によつて売買せしむる可きものでは無い〔中略〕我等生産者は如斯宣言す。我等は決して機械で無いと。我等は個性の発達と社会の人格化の為めに、生産者が完全に教養を受け得る社会組織と生活の安定と自己の境遇に対する支配権を要求す〔中略〕

主張　１　労働非商品の原則　〔以下略〕

ここで日本的に受け止められたものが「労働非商品の原則」である（三宅「日本における「労働非商品の原則」の受容」）。一般原則における、元来は労働が「単ニ貨物又ハ商品ト認ムヘキモノニ非ス」ということが、友愛会の主張では「労働非商品」と解された。単なる商品ではないということと、非商品との間には、大きな距離がある。「労働非商品」の原則の上で「労働者は人格者である。彼はただ賃銀相場によつて売買せしむる可きものでは無い」とされたのである。

ちなみにベルサイユ条約で労働が単なる商品ではないとされたのは、「労働力は商品である」が「労働者は商品ではない」、「特殊な商品である」ということにかかわっていた。その背景には反トラスト法によって労働組合運動が抑圧されたアメリカでは、ＡＦＬ会長のサミュエル・ゴンパーズ（ベルサイユ会議国際労働立法委員会委員長でもある）が「人間労働は商品または取引の目的物ではない」という文言を新たな反トラスト法に入れさせることで、アメリカの労働組合を法的に守った経緯があった（石田「ＩＬＯ「労働は商品ではない」原則の意味するもの」）。

労働組合は何よりも、終身的な賃金労働者が団結による労働力の集団的な売り手として、資本家と「取引」する組織として世界各地で発展してきた。しかし日本では、必ずしもそう受け止められなかった。友愛会＝総同盟は、「労働者は人格者」であり「生産者」である、「生産者が完全に教養を受け得る社会組織と生活の安定と自己の境遇に対する支配権を要求」するものだとしたのである。

友愛会に精力的にかかわった経済学者の福田徳三は、労働運動ことに労働争議を「価格闘争」とみることは「失当」であり、それに代えて、「厚生現象」、「人格闘争」ととらえるべきと主張しており(福田『社会政策と階級闘争』)、その前提におかれたのが「労働非商品の原則」であった。「労働非商品の原則」が労働組合の主張に明記されるのとほぼ同時期に、「団体交渉」という日本語もうまれている。福田(『社会運動と労銀制度』)は次のように述べる。

「此の頃になつて団体交渉権と云ふことを言つて居る、此は英語の collective bargaining を訳したのであらうが、「コレクチーブ・バーゲニング」とは「共同取引」と云ふことである。collective は共同、bargaining は取引で、労働条件に就て個人的 individually に取引するに対して、それを共同に取引すると云ふ意味である。其れを誰が言ひ出したか、尤もらしい字を使つて「団体交渉権」の要求と云つて居るのであるが、此は当然過ぎた話である」。

ここでは「価格闘争」における「共同取引」は、「人格闘争」における「団体交渉権」へと転じていた。もっとも、同時期に刊行されたウエッブ夫妻『産業民主制論』の最初の日本語訳(高野岩三郎監訳『産業民主制論』)では、collective bargaining には、「集合取引」の訳語があてられていた。なぜ労働力の集団的売買、共同取引に替えて「団体交渉権」という訳語が作られ、「当然」とされていったのか。それは労働者が「人格者である」と主張し、それにふさわしい組織や生活の安定と、自らの境遇への支配権を求めたからである。

当時の日本の労働者にとって、「人格」とくにその「尊重」は重要な意味を持っていた。多くの労働者が「自分たちは人として扱われていない」と受け止め、それへの強い怒りを抱いていたからである。二村一夫はこれを「不当な差別への怒り」と表現している(『二村一夫著作集1』第一章、第二章）。

「俺は一個の人間でありながら、労働者であるが故に、世間は俺を下等な人間だとして嘲蔑の眼を向けてゐる。俺は口惜しくてならないと思ふ時、俺の血潮は高鳴りが止まらない」（『労働及産業』一九一九年一月号）。現業部門（ブルーカラー）の労働者は職工と呼ばれ、下等、下層の存在とみられてきた。これへの「怒り」として、例えば一九二〇年二月の東京市電気局争議をみると、五項目要求の冒頭は「第一　従業員の人格を尊重すべし」であり、人格侮辱の例として賃金額の公開や身体検査、配給される食事内容などがあげられていた（『日本労働年鑑』一九二一年版）。一八九八年の日本鉄道機関方争議では、現業部門の職名改称（機関方→機関手など）が、具体的な要求であった。名称のこだわりは他にもみられ、後に産業報国会のもとでは「職工」が「工員」に改称されるようになる。「人格尊重」とは、このように工場や事業所、企業での一員としての地位の要求であり、かつ生産者としての社会における一員という地位の要求であった。アンドルー・ゴードンは、これをメンバーシップの要求と表現した（ゴードン『日本労使関係史』）。

企業内懇談組織と従業員の組合

一九二一年、阪神地方の重工業大企業で、団体交渉権の確立を目ざす労働争議が頻発した。そのピークとなったのが同年夏の川崎・三菱両造船所の争議だった。友愛会＝総同盟の主力である神戸連合会（リーダーは賀川豊彦）が主導し、多くの労働者が支援する、個別企業を超えた闘いとなった。労働側の主な要求は企業横断的な組合による団体交渉権の承認、日給増額や解雇手当など賃金関係の他、労働側が建議できる工場委員会制度すなわち企業レベルにおける労使協議機関の設置だった。経営者側はこの要求が労資関係の枠組みを争うことであるために厳しい態度であたり、工場から労働者を閉め出すロックアウトを実施した。これに対し労働側が「工場管理」を宣言すると(川崎争議団の「祈願文」によると、工場管理は「産業の自由と人格の解放のため」とされた)憲兵隊までもが出動し、労働側の「惨敗宣言」で終息する。以後横断的な労働組合は重工業の大企業に足場を失うことになる。

争議を経て経営者側主導で大企業に導入されたのは、当時労働委員会や工場委員会と呼ばれた組織であった。それは委員会と言っても協議や決定権などはなく、両者の「意思ノ疎通ヲ図ルヲ以テ目的」とされる懇談組織であった(八幡製鉄所懇談会規則)。ただし出席資格は職工側が投票で選んだ労働(職工)代表と、経営者とであり、形の上で職工の「人格」を尊重したものになっていた。同種の懇談組織はその後昭和恐慌期に広がりをみせ、労働争議が増える状況下、経営者側が苦境の説明と職工側の協力を訴える場となった。

後に労働組合が禁止され一九四〇年に大日本産業報国会が作られる過程で、企業の懇談組織は単位産業報国会の基礎組織に変わる。事業所や工場単位に作られた単位産業報国会の組織的特徴は、それが「工員」(職工から改称)と「職員」(事務ならびに管理部門のホワイトカラーの労働者)を一体化した組織だったことにある。両者を同じ組織にまとめたのは、産業報国会が初めてであった。

第二次世界大戦後、労働組合が次々と作られた際、それらは工員と職員を一緒に組織する事業所別の組合として出発した。そこでは名称を従業員組合とするものが一定の割合であり、労働組合を名乗っても性格は従業員の団体であった（三宅「戦後改革期の日本資本主義における労資関係」）。組合は企業単位でまとまり、さらに産業別の組織を通して産別会議や総同盟などのナショナルセンターを構成するが、その権限は企業別、事業所別の組合にあった。敗戦直後には、経営者が手元にある資材の値上がりを待って生産をサボタージュしたため、組合の手による生産管理闘争（自主生産）が行われた。

当時、課長以下の職員と工員は組合員であることが多く、生産管理は工場長のみを外しその位置に組合がすわる形で実施された。生産管理を経て労働協約が結ばれ、組合が多くの権限を持つ経営協議会が作られた（三宅「戦後危機と経済復興２」）。その後、企業再建・整備の中で経営者の攻勢が強まり、旧来の労働協約は破棄されるが、企業単位の従業員団体としての労働組合が定着し、企業レベルでの労使の協議と交渉が一般化する。組合は労働条件の改善を工職（労職）格差是正と絡めて要求し、この格差は、男性間では経済成長の時代を通して縮小した。一九七〇年代の石油危機の後、経営者側の「減量経営」策に対し、企業単位の労働組合は正規従業員の雇用維持に力を注ぎ、工員・職員ともに企業グループを含む配転等に応じることで対応した。

一九九〇年代以降の経済の長期停滞下、企業本体のスリム化に伴うさまざまな施策や派遣労働の広がりの中で、企業単位の組合はこれらに十分に対処できず、労働争議の件数は急減し労働組合の組織率もじり貧状況となった。もちろん労働組合の中には企業単位のものとは別に、全日本海員組合のように完全な産業別の組合があるし、また一九九〇年代以降の状況を強く反映して設立された青年ユニオンや管理職ユニオンなど、労働のタイプや条件を問わずに個人加盟できる合同組合型の労働組合もある。しかし企業単位の労働組合は、個別企業の経営者相手の要求では強い力を持つものの、個々の企業の業績に強く左右される。日本の賃金が経済の長期停滞の下で先進国中例外的に低く推移しているのも、産業別組合の交渉力の強弱が大きく影響している。

おわりに――「仲間」の範囲

企業単位の労働組合は同一企業(グループを含めて)内部での凝集力は強くなる。かつての生産管理闘争や、工職格差是正、解雇反対などでは、そうした強さが前面に出た。ただしその中で各労働者の所属企業への依存傾向が強くなったことは確かである。それはホワイトカラーだけでなくブルーカラーも含めた過労死が日本で現れた理由の一つである。第1節で述べたフリーランスやフリーターなどに向かった人びとの中に、こうした個別企業に依存しがちな労働のあり方への強烈な抵抗があることは否定できない。一方でブラック企業はこれとは逆に、人びとの強い正規雇用、「正社員」への志向を最大限に悪用したものである。

働く人びとの歴史をふり返ってみると、自分たちの労働条件を守り改善するために、これまでにさまざまな団結が試みられてきた。職業別・産業別、思想別・宗教別(ただし労働組合は政治団体や宗教団体ではない)、企業別・事業所別(ただし労働組合は会社の組織の一部ではない)、無区別等といった労働組合の団結のしかたは、仲間(と考える集団)の範囲を示している。同じ職業・職種、産業、信仰、会社、職場、境遇等といった具合に。第一次大戦後の労資関係には、産業別組合による交渉と、企業内労使の協議との複合的枠組みという特徴があると指摘したが、そこから考えると、賃金・時間等に関しては広い範囲で交渉し（社会的に公正な労働条件の実現）、企業等での具体的な要求は狭い範囲で協議する、そのような団結のありようも考えられる。

まとまること、すなわち団結は、それぞれの目的に対してだれ（どこまで）を仲間と考えるかによる（熊沢『労働組合運動とはなにか』）。労働に関しては、その範囲を同じ所属部署とか、同じ社員や正社員などとすることが多い。しかしこの「社員」ということば自体が、「会社に勤務する人、会社員」という意味をもって広がったのは一九六〇年代からのことであり、さらに「正社員」ということばになるとそれは一九八〇年代に流布したものであって、わずかな歴史しかない。仲間をどの範囲で考えるのか、それを決めるのは今に生きる私たち各人である。

参考文献

石田眞「ＩＬＯ「労働は商品ではない」原則の意味するもの」『早稲田商学』四二八号、二〇一一年。

ウェッブ夫妻『産業民主制論』高野岩三郎監訳、大原社会問題研究所出版部、一九二三年（なお引用箇所は上巻二〇四頁）。

熊沢誠『労働組合運動とはなにか』岩波書店、二〇一三年。

ゴードン、アンドルー『日本労使関係史　一八五三―二〇一〇』二村一夫訳、岩波書店、二〇一二年。

今野晴貴『ブラック企業』文春新書、二〇一二年。

――『ブラック企業２』文春新書、二〇一五年。

内閣府政策統括官（経済財政分析担当）『政策課題分析シリーズ17　日本のフリーランスについて』二〇一九年。

『二村一夫著作集１』第一章、第二章、インターネット版。

濱口桂一郎『団結と参加』労働政策研究・研修機構、二〇二一年。

兵藤釗「現代資本主義と労資関係」戸塚秀夫・徳永重良編『現代労働問題』有斐閣、一九七七年。

福田徳三『社会政策と階級闘争』改造社、一九二二年。

——『社会運動と労銀制度』改造社、一九二二年。

三宅明正「戦後改革期の日本資本主義における労資関係——〈従業員組合〉の生成」『土地制度史学』三三巻三号、一九九一年。

——「戦後危機と経済復興2　生産管理と経営協議会」石井寛治・原朗・武田晴人編『日本経済史4　戦時・戦後期』東京大学出版会、二〇〇七年。

——「日本における「労働非商品の原則」の受容」安孫子誠男・水島治郎編『持続可能な福祉社会へ3　労働』勁草書房、二〇一〇年。

村本孜「回勅と経済問題」『成城大学社会イノベーション研究』一四巻二号、二〇一九年。

ランサーズ『新・フリーランス実態調査　二〇二一—二〇二二年版』二〇二一年。

第9章 少子化は歴史抜きには語れない

――過去の制約、未来への起点

斎藤　修

はじめに

日本における出生数はこのところ毎年のように過去最少を記録している。二〇二〇年の値は八五万人を割り込み、それに対応する合計特殊出生率は一・三四であった(「特殊」という語が入るのは、出生数を総人口で割った普通出生率と異なり、出産年齢にあたる一五―四九歳の女性に限定して年齢別出生率を算出し、それを合計したものだからである。以下、たんに合計出生率と記す)。しかし、この合計出生率一・三四は過去最低ではなく、これまでもっとも低い出生率は一五年前の二〇〇五年に記録していた。その値は一・二六であった。なぜ合計出生率が若干ではあっても改善をしたにもかかわらず、出生数は減り続けたのであろうか。

これは二〇二〇年と二〇〇五年の人口構造を比較してみてみないとわからない。この間に高齢化が進み、子どもを産み育てる年齢層の割合が減っていたと思われるからである。実際、この一五年間、女性人口にしめる一五―四九歳層の割合が四三％から三九％に低下をし、実数では六六〇万人も減少をしていた。合計出生率は一五―四九歳の女性が平均何人の子どもを産むかを表す指標である。したがって、出生数の合計はこの出産年齢層にある女性数に合計出生率を掛けることによって求められる。計算をしてみればわかるように、合計出生率が〇・〇八改善した程度では、その出産年齢層の六〇〇万を超える減少が出生数に対してもつマイナス効果を相殺することはできない。しかも、母親層の規模縮小自体がそれまでの少子化の帰結であった。二一世紀のいま起きている少子化を理解するためには、一世代前、さらには半世紀前の人口動態を知る必要がある。

それだけではない。過去の統計的事実に加えて、当時の為政者が家族の出産行動に直接介入するような施策を採ったのか否か、採ったとしてもそれに対する人びとの反応はどうだったのか、さらに時間軸を長くとれば、伝統的と形容される時代に結婚や出産についてどのような文化があったのかも重要で、定量・定性の両面において過去を知らなければ現代を語ることはできないであろう。

以下、日本の少子化を現代よりは長めの時間軸においてみる次節に続き、第2節において政府が人びとの人口行動に深く関与、あるいは関与しようとしたアジア三カ国(中国・韓国・インド)を比較する。第3節では、近代以前に存在した出産と家族形成をめぐる文化の違いが現代の少子化問題にどう影響しているかを、東欧・南欧を含めたヨーロッパ圏内の地域別データを手がかりに考える。

1 日本の少子化――近現代の時間軸で

最初に、近現代の日本において出生率がどう推移してきたかをみよう。合計出生率の推計は一九二五年まで遡ることができ、それによれば戦間期の女性は平均五・一人子どもを産んだという。これ以前については、合計出生率よりは粗い指標である普通出生率や他の人口統計、そして地域の資料にもとづいた歴史研究の成果等によるしかないが、趨勢としては女性の平均初婚年齢が上昇し、他方では普通出生率が生涯無子の夫婦の比率低下を伴いつつ上昇していたので、夫婦の出生力は幕末から緩やかな増加傾向にあったと考えられる。したがって、第一次世界大戦後の平均出生数五人強(農村部では六人)の水準は歴史的にみてピークであった可能性が高い。

その値が一九三〇年には四・七へと低下した。一九二〇年代に、都市部だけの現象に止まったが、自発的な出生抑制の萌芽があったのであろう。しかし、戦時体制に突入した一九三七年には大規模な徴兵が行われ、それによる結婚年齢の上昇と出生率の低下が起きた。女性の平均初婚年齢が一九二五年から一九四〇年にかけて一歳以上上昇、合計出生率は一人減少した。人口政策確立要綱が制定され、「産めよ殖やせよ国のため」の標語が全国に張り出されたのはその翌年であった。婚資貸付や家族手当等の制度を盛り込んだ出生奨励政策であったが、同じ年に再度の徴兵強化がなされ、一九四三年には学徒出陣が始まったため、その効果はほとんどなく、戦争末期には出生数が急減をした。若い父親と結婚適齢期の若者を戦地へ送り出してしまったわけであるから当然の帰結であった。

敗戦とともに出征兵士が復員してベビーブームが始まり、一九四七年には女性の初婚年齢と合計出生率が一九三〇年水準近くまで戻った。しかし、一九四八年に遺伝性疾患や精神障害を理由とする妊娠中絶を合法化した優生保護法が制定され、翌年それに経済的理由を加えた改正がなされたことによって、妊娠中絶による産児制限が一挙に拡大した。一九五〇年の合計出生率が四を大きく下回り、一九五二年には三を割った。わずか五年のうちに女性一人あたりの出生児数が一・五人も少なくなったのである。欧米では、出生率低下は近代経済成長が立ち上がり、生活水準の向上が明白となってからであったが、日本の場合、敗戦後の生活難を背景に、妊娠中絶合法化が引き金となって始まったところに大きな特徴がある。政府はその後、一九五八年の厚生白書で家族計画に言及、自らの手で家族設計をと述べたが、合計出生率はその前年に二人の水準となっていた。出生力転換は政府の明示的な人口抑制政策なしに完了してしまったのである。

一九五七年の二・〇から一九七三年の二・一四まで、(一九六六年丙午《ひのえうま》の急落を挟んではあったが)わずかな上昇があった。第二次ベビーブームと呼ばれることもあるが、合計出生率が人口置換水準前後で安定していた時期とみることもできる。人口置換水準とは、そのままゆけば人口が増えも減りもしない水準という意味で、その値は死亡率水準に依存するけれども、先進国では二・一を少し下回るのが普通である。現代日本では二・〇七とされていることからみて、翌七四年の二・〇五まではその近傍での変動とみなせたからである。しかし七五年には一・九となり、それ以降はじりじりと低下することとなった。少子化の始まりである。この合計出生率が継続的に人口置換水準を下回る状態が持続すると、人口減少へと向かうことになる。総人口が前年を下回ったのは二〇一五年が初めてである。合計出生率が人口置換水準を下回っている状況は四〇年以上、その値が一・五以下の超少子化状況は一九九二年以来二五年以上続いているので、(移民が急に増えるということがないかぎり)母親人口の規模がさらに縮小し、総人口はしばらくの間減り続けるにちがいない。

このように、過去一五〇年における出生率の歴史は、上昇から急低下、短い小康状態をへて少子化へという、波乱の多いものであった。しかしどの局面をとっても、そこに外部からの強制や圧力の作用を認めるのは難しい。

最初の半世紀における出生力上昇は生活水準の緩やかな上昇がもたらしたもので、夫婦ですら気づくことのできなかった変化だったにちがいない。しかし、両大戦間の時代になると人口増加率が上がり、過剰人口意識が芽生え始めた。昭和初期から平均子ども数にわずかな低下傾向が出始めたけれども、それがどの程度夫婦の意識的選択の結果であったのかは不明である。公的な立場にあった人びとの言説を見るかぎり、満州移民のような計画はあっても、「過剰」人口を出生抑制によって解消させようという意見がでることはなかった。国家が夫婦生活へ直接介入しようとしたのは戦時体制下においてであったが、その出産奨励策は失敗に終わった。それどころか、敗戦から何年もしないうちに人びとは出生抑制を始めたのであった。戦中末期から敗戦後にかけての食糧難とそれに続く貧困のなかでベビーブームを経験し、多くの夫婦は出産抑制をしたいという願望を抱くようになったのではないか。生活不安こそが直接の原因で、優生保護法の改正がそれに口実と手段を与え、政府の政策立案を俟つことなく出生力転換が実現されたのである。

一九四〇年代末からの一〇年間に起きたことは、夫婦が意識して出産の数を減らすということであった。子どもは二人という観念が定着をしたのである。しかし、一九七〇年代以降における少子化は異なった要因によるものであった。結婚年齢が上昇を始めたのである。一九六〇年には二四・四歳で、その後もしばらくは変わることのなかった女性の平均初婚年齢が、一九七五年以降になると徐々に上昇をし、二〇一八年には五歳も高い二九・四歳となった。対応する男性では二七・二歳から三一・一歳へと上昇した。この変化の意味を理解するためには年齢別に未婚者の割合をみるとよい。二五―二九歳層で女性の未婚比率をとると、一九七五年までは二〇%前後であったのが二〇一五年には六一%に達し、三〇―三四歳の未婚率でも一〇%未満から上昇して三五%となった。この背景には、男性未婚者が急増したという事情がある。五〇歳時点での未婚割合をみると、一九六〇年には男女とも一%台で皆婚社会であったが、二〇一五年には男性二三%、女性でも一四%にまで上昇した。女性の二〇代後半から三〇代前半は出産のピークであり、その年齢層でまだ結婚をしていないひとが増えたという現実は、結婚をしても、そして子どもは二人欲しいと思ったとしても、結果として一人しか子どもをもてなかったという夫婦が増加することを意味した。晩婚・未婚化と晩産化の相乗作用が少子化と超少子化を推し進めてきたのである。

この晩婚・未婚化の背景は複雑であった。要因の一つは女性の高学歴化と就業率の上昇である。これは先進諸国に共通した趨勢で、彼女たちが結婚して出産をする確率を低下させてきた。日本の場合、男性正規就業者に仕事優先を求める企業風土のために妻の仕事と子育ての両立が難しく、彼女たちが高学歴化し、就業を希望するようになると追加的出産の確率が低下する。

加えて、それとは性格を異にする要因も存在する。非正規雇用の増加である。男子の初職が非正規であった場合、それは彼らが結婚する確率を引き下げ、家庭をもったとしても追加的な出産の確率を低下させることが実証されている。彼らには正規からの転落者もいたかもしれないが、非正規増加分の多くは自営業セクターの縮小によるという。自営業世帯は伝統的に家族による事業の継続に価値をおく傾向があったので、雇用構造における近年の変容は、少子化が日本社会の構造変化に根差したものであることを示唆している。政府の本格的少子化対策は一九九四年のエンゼルプラン以来、仕事と子育ての両立支援が柱で、育児休業制度の創設と拡充、保育サービスのための予算増額が進められてきた。しかし、その発想の前提に正規就業者の共稼ぎ家族があったことは明らかで、それでは非正規労働者の結婚問題、さらには母子家庭における子育て問題の解決にはほど遠い。彼らの直面する問題は生活不安だからである。いまでも、半世紀以上前の時代における、敗戦後の生活不安と出生抑制の急速な普及という事実から学ぶことは多いのである。

2　人口現象における近接過去——アジアの文脈で

以上、国家介入が小さかった事例として日本をみた。しかし、世界には政府が人びとの人口行動に深く関与した、あるいは関与しようとした国が少なからず存在する。中国、韓国、インドが代表的である。

この三カ国における合計出生率をみると、戦後すぐの水準は六人前後と高く、出生抑制策の導入にあたっての困難はどこでも大きかった。ただ、その後の推移は異なった。中国と韓国は一九七〇年代の半ばまでに三人前後へと下がり、韓国では八〇年代後半から、中国では九〇年代に入ってから二人を下回るところまで低下をした。超少子化でも韓国が一足早く、二〇一八年に合計出生率が初めて一を割り、世界最低を記録した。これに対してインドでの低下スピードは遅く、一九八〇年代前半の水準が四・七であり、二〇二一年でも二を超えた水準にとどまっている。一言でいえば、インド人口には過剰感がいまだに残っているのに対して、東アジアの中韓両国は比較的に急速な出生率低下を成功させ、現在では欧米や日本と同じく少子化に苦しんでいるのである。

最初に中国をみよう。その一人っ子政策は世界の注目を集めてきた究極の出生抑制策である。いかなる人口も、男女一人ずつを次世代に残さないかぎり人口を維持することができない。それを夫婦が産む子どもを一人にするというのであるから、人口増加にブレーキをかけるうえでは有効かもしれないが、副作用があることは始めから明瞭な政策なのである。

一九四九年の中国革命以降、人口史において最初に起きた事件は一九五八―六一年の死亡危機であった。きっかけは異常気象を引き金とした飢饉であったが、毛沢東が推し進めた「大躍進」キャンペーンの失敗が二〇〇〇万人もの犠牲者を生んだ。飢饉時には出生も急減する。そのような事態が起きると反動がくるのが常で、一九六三年の合計出生率は七・五を記録、六〇年代後半にかけて高い時期が続いた。それをうけ、夫婦あたり子ども二人を目指した計画出産運動が始まった。その運動はかなりの成功を収めたようで、一九七〇年代後半には合計出生率が三人台にまで低下した。しかし、人口増加率のさらなる引下げを図って新たな婚姻法が一九八〇年に制定され、一人っ子政策が登場した。出産の国家管理が原則となったのである。その効果はすぐには表れなかったが、一九九〇年代に入ると合計出生率が大きく低下し、二を割り込むことになった。二〇二二年一月の新聞報道によれば、二〇二一年には日本の水準を下回った模様である。一人っ子政策導入から三〇年で少子化が始まり、現在では超少子化への途を歩んでいるのである。

このため中国政府は、二〇一三年に条件付きで二人目の出産を認め、二年後には二人っ子を全面的に容認、方針転換を行った。ただ、それによって合計出生率が上向いたという証拠はこれまでのところない。国連の推計によれば、二〇二〇年における女性人口のピラミッドは裾が非常に絞られた形状のままである。いまから四〇年前に始まった強制的な出生率引下げの強い「副作用」のため、二〇年後における二五―三四歳層は現在の七割程度にしかならないので、これからも出生数の減少はかなりのテンポで続くであろう。それだけではなく、伝統的に男児選好が強い中国社会では、子どもを二人もてないということは男児一人の家族を数多く生みだし、性比の歪みが顕著となっている。それも人口再生産にはマイナス要因となる。経済成長のために人口増加を抑制するという目標は達成されたけれども、そのために支払った代償は大きかったといわざるをえない。

戦後の韓国はどうか。その政治体制は革命後の中国と大きく異なったけれども、経済成長を国家目標とした点では同じ発想法をもって出発をした国である。また、人口抑制を家族計画の普及によって達成しようという戦後非共産圏諸国における政策的合意にならい、韓国政府は「人口抑制を伴わない経済開発政策は成功しない」という信念の下、一九六〇年代から七〇年代にかけて国民に出生抑制を強く働きかけた。この家族計画事業は政権交代によって変更されることなく継続され、その間に合計出生率が順調に低下をした。人口置換水準にまで引き下げるという目標は計画より五年早く、合計出生率一・七五の目標値は一〇年も早く達成されたのであった。韓国政府の施策は二人っ子を社会規範として国民の間に定着させようというものであったが、これほどまでに迅速な出生率低下が起きたということは、非常に多くの国民がそれを実際に受容したことを示唆している。一九七五年からのデータを解析するとわかることであるが、その間、母親人口の規模が増加していたため人口規模が出生数に与える効果は依然としてプラスであったにもかかわらず、夫婦の出産抑制の意思が非常に強く、二〇〇〇年以降になるとそれに晩婚化の影響も加わり、出生数の減少が長く続いたのである。

人口政策における流れが変わったのは高成長の時代が終焉し、一九九七年のアジア通貨危機、そして二一世紀に入ってから登場した年金財政の枯渇問題の影響によってであった。少子化問題の認識がこのように遅れた理由ははっきりしない。伝統家族において顕著であった男児選好は、中国と同様、戦後の韓国でも根強くみられた。これは他の条件が変わらないとすると出生率を高止まりさせる要因であるだけに、出生率が人口置換水準を大きく下回り、それが続くということは予想外の出来事だったのであろう。二〇〇六年にようやく低出産高齢社会基本計画が施行、出産養育支援による仕事と家庭の両立を目標にしたものであったが、超少子化の状態はその後も続き、二〇二一年には人口減少に転じた。中国の場合と同様、二〇二〇年推計によって二五―三四歳層を一〇〇としたときの五―一四歳層の大きさを計算すると、六九にしかならない。これからは日本と同様の母親人口縮小効果が加わるので、超少子化の状態は今後も続くであろう。

インドは、戦後の第三世界で最初に政府が家族計画を導入した国である。人口の絶対数が大きかっただけではなく、人口増加が持続的でかつ貧困層が多かったため、一九五一年の第一次五カ年計画のなかに優先度の高い政策として位置づけられた。当初は避妊のためのサービス提供が主で、それが徐々に拡充されてはいたが、合計出生率は一九七〇年でも五・五を上回っていた。七一年の総選挙で貧困追放を公約に戦ったインディラ・ガンジー首相は人口抑制を最優先の課題と考え、翌年、不妊手術奨励金を引き上げた。強制不妊も考慮され、全国一律は見送られたものの、各州での立法化を促したのである。その結果、不妊手術件数は飛躍的に増加した。しかし、この事実上の強制不妊促進政策は不人気で、七七年の総選挙で与党が敗北、歴史的な実験は失敗に終わった。

その後、インドの家族計画はどのような途をたどったのであろうか。人口政策が教育福祉や女性の権利保障を含む総合政策のなかに位置づけられることとなり、家族計画は再び夫婦の自主的な選択に委ねられることになった。以来、この目標は各政権によって支持され、それどころか夫婦の選択権はより強調される傾向にあるとすらいえる。このように中国とは対照的な途を選択したのであるが、それが十分な出生率低下となったかといえば、そうではなかった。たしかに、一九五一年から一九九二年までの間に家族計画推進によって回避された出生数は累積で一億四千万人になるといわれる。絶対数としては大きな数字であるが、二〇二〇年代に入ってもインドの合計出生率は二・二人と高止まりをしている。その理由を解明することは容易でないが、専門家は、現在でも多くの国民が子どもをもちたいと希望し、それが女性の家庭内地位の低さと相関しているという現状こそが、家族の子ども数を高止まりさせている要因ではないかという。

出産抑制プログラムを成功させるというかつての目標からすると、中国とインドの対比は、国家の関与がそれに寄与したとも、逆に国家がかかわらないほうが出生率の低下がスムーズだったともいえないことがわかる。一方、少子化の進行にかんして中国・韓国を日本と対比させると、出生率引下げに国家の役割が大きかったところほど少子化の程度が深刻といえるのかもしれない。

しかし、歴史において重要なのは国家の営為だけなのであろうか。

3 前近代からの持越し――ヨーロッパの場合

インドの例は、近現代の人口問題に何世紀も前に形成された出産と家族形成をめぐる文化の影響が無視できないということを示唆していた。それは、出生抑制計画を阻害するものという位置づけであったが、現在進行中の少子化についても、類似の、しかし影響の方向は逆と想定する議論が提起されている。

本節では、この点をヨーロッパ圏について検討する。まず、圏内地域別に合計出生率が一九六〇年代前半から二〇一〇年代前半にかけてどう推移したのかをみよう。二〇一〇年代前半において、いずれの地域でも水準は二を下回っている。しかし、バルト三国・スカンディナヴィアからオランダ・ベルギー、フランス、大ブリテン島諸国を通ってアイスランドにいたる北西欧諸国と、それ以外の東欧、中欧、南欧の三地域との間には截然とした水準差が存在する。近代以前から核家族が支配的であった前者の国々では一・八から一・九と、人口置換水準近傍にあるのに対して、その他三地域では一・五を下回り、超少子化が進行している。半世紀前の一九六〇年代前半に遡ると、社会主義政権下にあって生活難に苦しんでいた東欧諸国の合計出生率がもっとも低水準にあり、豊かな北西欧諸国と南欧とが二人台後半であった。その後、後者のうちでは伝統的に家族紐帯の強かった南欧諸国で低下幅が最大となり、個人主義的な北西欧諸国においては少子化を遅らせる何かが働いていたようなのである。

この「何か」についてはさまざまな議論がある。そのなかでわかりやすいのは家族制度の違いである。家族世帯には三つの類型がある。結婚が親世帯からの別居を意味する核家族、跡とりだけが結婚して親世帯にとどまり、他の子どもは結婚前に家を離れる直系家族、そして兄弟がみな親元で結婚をし、後にライフサイクル上の別の契機によって世帯が分割される結合家族である。近代以前のヨーロッパにかんしては、北西欧が核家族優位の、ドイツを中心とする中欧は直系家族の、東欧は結合家族の文化であったという点で合意がある。南欧の家族はモザイク状で、一つの制度で代表させることはできないが、家族世帯の親族構造が複雑であったことは認められている。ただ、ここから鍵となる説明変数を抽出し、少子化をめぐる北西欧とその他地域の対比へと関連づけるとなると、いくつかの異なった見解が生ずる。一つは個人主義対権威主義の軸を、次は家族紐帯の弱さと強さという軸を、そして三つ目がジェンダーにかんする平等と不平等の軸を重視する。もっともこれら三つの解釈が相互に相容れないわけではなく、同じことを別の表現で述べているにすぎないのかもしれない。

いずれにせよこの議論のポイントは、核家族文化を構成するある要因が、出生抑制が要請される時代にはそれを速やかに達成させる方向に、そして合計出生率が人口置換水準を下回ってからはその過度の進行を抑える方向に作用してきたというところにある。逆にいえば、直系家族や結合家族の文化をもつ国々では、その要因が欠如しているがゆえに少子化が超少子化になりやすいということなのであろう。この議論は面白く、ヨーロッパ以外の地域にも適用可能ではないかといわれている。いま少子化が進行しているアジアの国々は直系家族か結合家族の文化をもっていたからである。しかし、その単純な適用には注意が必要であろう。二点コメントする。

その一つが、核家族ではない家族システムを皆同じとみることはできないという点である。直系家族文化と結合家族文化は明らかに異なるが、直系家族のなかにも無視できない相違がみられるからである。アジアに目を向けると、日韓がその好例である。両国とも開国以前の伝統家族世帯は直系家族が優位であった。しかし、少子化の程度は韓国でいっそう厳しい。どちらの家族文化も個人主義的とはいえず、女性の社会的地位も高くないにもかかわらずである。他方、男児選好は韓国で――結合家族型の中国やインド同様に――強く、日本では弱い。このような観察を踏まえると、ジェンダーを中心に議論するとき、社会的な場でのジェンダー問題と家族内での女性の地位とは区別することが重要で、そこに日韓の差を説明する鍵があるのではないか。日本の女性は伝統的に家庭内での意思決定にかなり関与してきたといわれており、家族経済が家父長的であったところと比べると、家族設計についての発言力に重要な違いをもたらしたものと思われる。

もう一つのコメントは、核家族文化地域のなかでの違いにかかわる。この範疇に入る諸国のなかでもフランスとスカンディナヴィアの国々は、政府の人口政策への関与の面で「進んだ」少子化対策を行ってきたと評価されている。前者は一九三〇年代から、後者も一世紀にわたって取組みが行われてきた。しかし、両者の間には無視できない違いがある。フランスは他国に先駆けて低出生率が出現したところであるため、二〇世紀の初めにはすでに人口増加を善しとする意識が芽生え、それ以来、出生促進政策を国是として実行してきた。スカンディナヴィア諸国、とりわけスウェーデンでも出生率低下は顕著で、一九三〇年代には人口置換水準を下回るまでになった。しかしフランスとは異なり、人口増加を国家目標とするような政策は採用されなかった。戦間期に人口対策は福祉政策のなかに取り込まれ、位置づけられた。結婚から子供を産む／産まないまで、個人の選択の自由を尊重し、その自由を阻害する経済的・社会的困難を取り除こうとする普遍主義的福祉国家観が早期に確立しており、そこから、一方では産児制限の容認と推奨、他方では親になる自由を保障するために政府が積極的な支援を行うという人口対策基本方針が導き出された。国家のワークライフ・バランス支援は子どもを産んでくれることへの対価としてなされるものではなく、どのような時代であってもその支援を受けること自体が国民の権利だとされたのである。

近代的な出生抑制と現在進行中の少子化とを同一の分析枠組みによって説明しようという試みは、まだ十分に説得力をもつには至っていない。しかしこの議論は、一五〇〇年、二〇〇〇年、あるいはそれ以上前に出来上がった慣行や制度が無視できない影響を現在にまで及ぼしていることに気づかせてくれるという点では興味深く、重要な指摘を含んでいる。

おわりに――過去から現在へ、現在から未来へ

現在進行中の少子化は複雑な現象である。しかし、これまでにみてきたことから確実にいえることが一つある。それは、現在を理解するためには一世代前に起きていたことを知らねばならず、第二次世界大戦後の時期に国家が何をし、それに対して国民がどう反応したか、さらには明治やそれ

以前に起源をもつ文化、とくに家族形成にかかわる文化についても歴史家が明らかにした事実を考慮に入れるべきだということである。

人口学は世代間の関係を定量的に扱う学問である。そのため、現代と近未来を理解するためにまず必要なのは一世代、二世代前に何があったかを定量的に確定することである。しかし、必要なのはそれだけではない。結婚や出産行動には人びとの意思決定が介在し、その意思決定には社会の規範や人びとの社会観が影響する。政府の施策やマスメディアの喧伝が人びとに働きかける力も無視できないが、人びとの実際の行動を規定するのが伝統的な人生哲学や死生観であったりすることは珍しくない。たとえば、現代における人工妊娠中絶をめぐる議論には、近代以前に堕胎許容的な出産文化があったか否かが影響をしている可能性がある。とくに、敗戦直後の日本の場合がそうであったように、人びとをとりまく経済事情が急変したとき、あるいは将来の生活に対する不透明感が拡がっている現代のような状況では、その可能性が大きい。いいかえれば、現在起きていることは、過去についての定量的・定性的な事実認識なしに理解することはできず、それゆえに過去は現在を介して未来にも影響を及ぼしているのである。

参考文献

河野稠果『人口学への招待』中公新書、二〇〇七年。
国立社会保障・人口問題研究所編『人口統計資料集』二〇二一および過年度版(https://www.ipss.go.jp/syoushika/tohkei/Popular/Popular2021.asp?chap=0)。

小浜正子『一人っ子政策と中国社会』京都大学学術出版会、二〇二〇年。

斎藤修「人口転換の日韓比較」『日本學士院紀要』七一巻三号、二〇一七年。

——「前近代ヨーロッパの結婚パターン」日本人口学会編『人口学事典』丸善出版、二〇一八年。

西川由比子「インドの人口政策」日本人口学会編『人口大事典』培風館、二〇〇二年。

藤田菜々子「一九三〇年代スウェーデンの人口問題」同『ミュルダールの経済学』NTT出版、二〇一〇年。

村越一哲「両大戦間期におけるわが国の結婚出生力」『人口学研究』五八号(近刊)。

United Nations Population Division, *World Population Prospects 2019* (https://population.un.org/wpp/).

第10章

パンデミックと海港検疫
――一八七九年と二〇二〇年の横浜港

永島　剛

はじめに――二〇二〇年 大型クルーズ船の検疫

中国の武漢で最初に顕在化した新型コロナウイルス感染症（以下、コロナ感染症）の流行の接近を、日本に住む人々の多くに実感させた出来事の一つに、イギリスを旗国とする大型クルーズ船ダイヤモンド・プリンセス（以下、DP号）の横浜への入港（二〇二〇年二月三日）がある。航海中、寄港地・香港で下船した乗客の感染が判明していたことから、横浜港到着後、DP号は検疫下に置かれ、乗員乗客は船内に隔離された。それぞれ感染者との濃厚接触後一四日間の健康観察期間ののち下船は許可されたが、全員の下船が完了したのは三月一日だった。この間、感染判明者を含め緊急医療が必要と判断された人と、帰国チャーター便が用意された外国人には下船が認められていた。最終的に乗員乗客三七一三名のうち七一二名がコロナ感染症と診断され、そのうち一四名が亡くなった。この他、検疫官や船会社医師ら数人の感染も確認された。DP号をめぐる出来事は、感染症自体の脅威とともに、検疫の難しさも浮き彫りにするものだった。

ＤＰ号への検疫は、「検疫法」（一九五一年公布）という「国内に常在しない感染症の病原体が船舶又は航空機を介して国内に侵入することを防止する」ために「必要な措置を講ずることを目的とする」法律にもとづいて行われた。今や日本への入国は、船舶よりも航空機で空港に到着する人のほうがはるかに多く、検疫の焦点はＤＰ号だけではなかったはずだが、着岸しているのに上陸ができないという、多くの人々にとってこれまで見聞したことのない事態の推移は、連日の報道をつうじて特に注目を集めた。

このＤＰ号への検疫も含めて、コロナ感染症とその防疫のあり方をめぐってはさまざま議論がなされている。これを書いている二〇二二年初頭、コロナ感染症パンデミックの収束はまだ見通せていないが、ここでは検疫をめぐる歴史を少し振り返ってみたい。過去と現在とでは状況が異なるので、歴史の中に直接的な解答があるとは限らないが、これまでの経緯を知り、過去の事例を参照することは、現在の問題を考える際にも何らかのヒントを与えてくれるだろう。そして、これまで歴史教科書などで扱われることの少なかった感染症やその防疫に関わる動向に注目することは、歴史像の豊富化にもつながるに違いない。

1　明治日本における検疫の導入

七月一四日は「検疫記念日」とされている。一八七九（明治一二）年の同日に、日本初の統一的な検疫に関する法令「海港虎列刺《コレラ》病伝染予防規則」（以下、「海港コレラ規則」と略記）が公布されたのが由来だという。その後、コレラ以外の急性感染症のいくつかも検疫対象に追加され、「海港検疫法」(一八九九年)、「航空検疫規則」(一九二七年)などを経て、現在の「検疫法」へと至る。この「海港コレラ規則」は、じつは一週間しか効力をもたず、七月二一日には新たな「検疫停船規則」によって置き換えられた。短期間に法令改正が行われたことは、明治日本における検疫導入が簡単ではなかったことを示唆している。

コレラは一八一七年以降たびたびパンデミック化し、世界各地を脅かしていた。日本ではすでに徳川時代、一八二二(文政五)年と一八五八(安政五)年に顕著な流行があった。コレラへの備えを研究するなかで、西洋では quarantine とよばれていた、停船期間を設けて感染症の侵入を防ぐ方法を、「検疫」と最初に訳したのは、幕府の洋書調所の学者たちだった。

明治維新以降は、一八七七(明治一〇)年に最初の流行があった。この流行直前に内務省から各府県に通達された「虎列刺病予防法心得」には、国内における患者発生時の届出・隔離・消毒といった防疫手続きとともに、海港での船舶検疫についての指針も示されていたが、まだ法令とよべるものではなかった。結局この年は検疫態勢が充分に整う間もなく、長崎・横浜の両港からコレラ流行が始まった。この年には西南戦争があり、九州の戦地で感染した兵隊が各地へ帰還したことも、全国的な伝播を助長したと考えられる。

当時、防疫行政を管轄していたのは内務省衛生局(一八七五年設置)だったが、海港検疫には外務省も関わっていた。コレラ流行地からの船舶を停船させるとなれば、当然外国船も対象となる。幕末以来、当局者たちがその必要性は認識しつつも、実際にコレラ流行が間近に迫るまで検疫法令案の

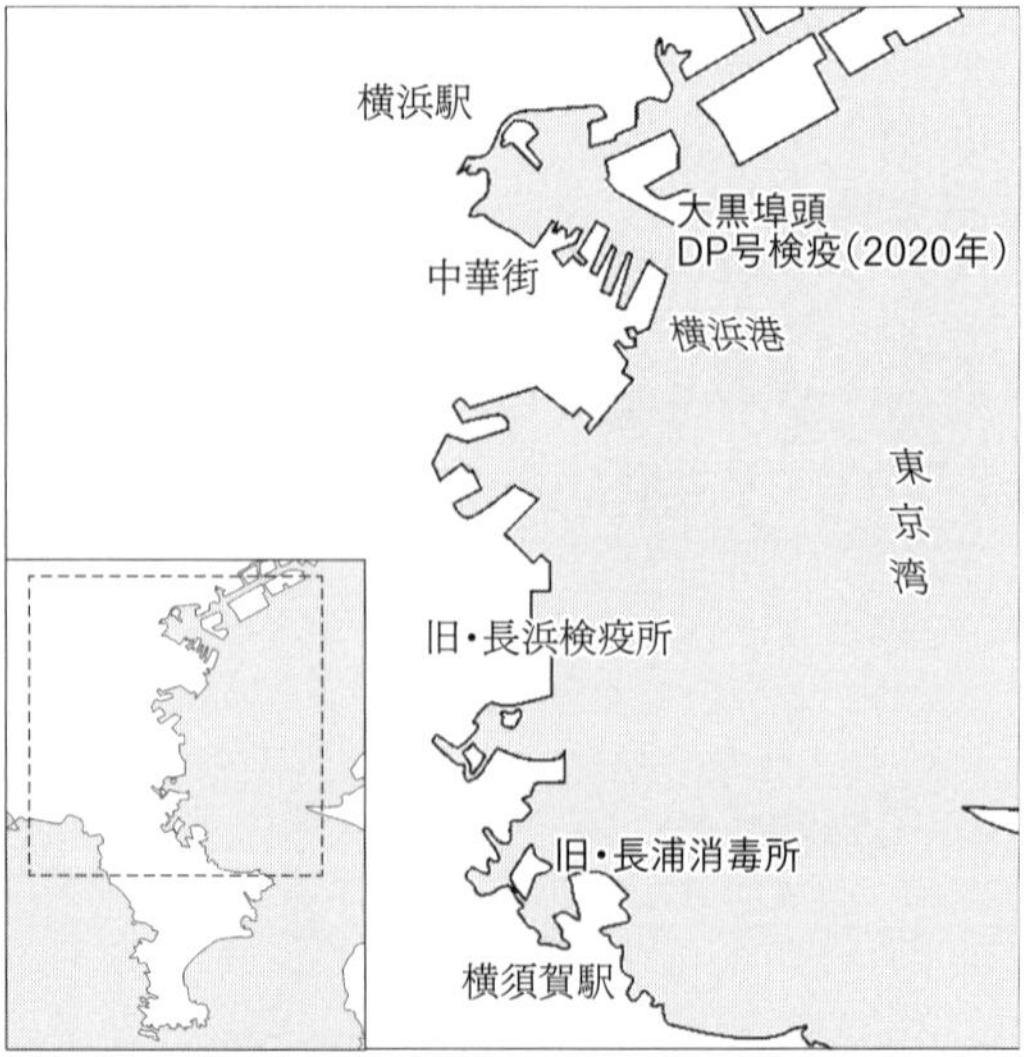

図 10-1　大黒埠頭と旧長浦消毒所

具体化ができなかった理由の一つもそこにあった。欧米列強に治外法権などを認めていたいわゆる不平等条約下では、列強の意向を無視したまま検疫法令をだすことはできなかったのである。

一八七九年三月、愛媛県でこの年最初の患者発生が報告されたコレラは、同年初夏までに西日本を中心とする大流行となった。東日本への伝播を抑止するため、政府は七月三日、コレラ流行地域の港から横浜に来港するすべての船舶に、長浦消毒所(現・横須賀市)における一〇日間の停船・検疫を課す仮規則を発した。そしてこれをより普遍的な法令として改めたものが、前述の七月一四日「海港コレラ規則」だった。

この規則は列強の公使たちにも通知されたが、特に英仏独の公使は自国船への適用に難色を示したため、基本は維持しつつも、検疫は臨時措置であることを明文化するなど条文を一部改正し、七月二一日に「検疫停船規則」が公布された。しかし治外法権を盾に、公使たちは自国船への適用を認めない姿勢を崩さなかった。

2　ヘスペリア号事件

実際に、停船要請を無視して外国船が横浜港への入港を強行するという事件も起きた。その外国船とは、ヨーロッパから中国を経て日本の神戸港に寄港したのち、東京湾へやってきたドイツの商船ヘスペリア号である。

阪神地方はすでに「コレラ流行地」と認定されていたので、七月三日仮規則にもとづけば、神戸を出港したヘスペリア号は、横浜入港前に停船検疫に服する必要があった。七月一一日、ヘスペリア号は指定の長浦消毒所に到着。ドイツのカール・フォン・アイゼンデッヒャー駐日公使は、自発的にドイツ人医師を長浦に派遣するなど、この時点では検疫に協力的にみえた。長浦到着後の検分では、船内にコレラ患者は発見されなかった。日独間で意見相違が生じたのはそのあとだった。日本側は仮規則に従って一〇日間の停船措置を継続しようとしたが、ドイツ側は直ちに船を解放すべきだと主張したのである。

七月一四日から一五日にかけて、ドイツ海軍の砲艦に守られつつ、ヘスペリアは横浜への入港を強行した。寺島宗則外務卿はドイツ公使に抗議したが、乗員乗客の上陸や貨物陸揚げを止めることはできなかった。一四日は「海港コレラ規則」公布の日であり、つまり「検疫記念日」は、このヘスペリア号事件が起きた日でもあったのである。

アイゼンデッヒャー公使は寺島外務卿に対し、ドイツ船舶に対する行政権はドイツ領事館に属すること、そして長浦での三日間の停船で船内に患者がいないことが確認された上、消毒も行われたので、衛生上も問題はないことをもって、ヘスペリア号入港の正当性を主張した。この立場はイギリス公使ハリー・パークスとも共通するものだった。幕末の一八六五年に来日し、日本の歴代当局者たちに「大英帝国」の要求を突き付けてきたパークスは、列強公使たちのなかでもとりわけ目立つ存在だった。「検疫停船規則」の遵守を求めた寺島に対する返信の中で、パークスは日本政府の努力は認めるとしながらも、イギリス船の検疫については、同規則とは関係なく独自の基準で行うことを表明した。

検疫規則を無下にする公使たちの態度は、日本の多くの人々の目には、コレラへの恐怖と相俟って、「列強の横暴」と映ったにちがいない。たとえば、日頃は政府の権力行使に批判的な民権派の政論新聞として知られる『朝野新聞』も、この時の横浜での検疫をめぐっては、日本政府ではなくイギリスに批判の矛先を向けた。同紙の「英人ノ私曲」と題された七月二〇日の論説は、自分たちの商業利害のために日本人の健康をないがしろにしているという主旨で、イギリスを非難している。

ヘスペリア号事件は今日広く知られた出来事ではないが、不平等条約をめぐる外交史研究では、これまで何人かの歴史家たちが言及してきた。条約改正交渉の任務を負う寺島外務卿としては、検疫規則の外国船への適用を治外法権撤廃への一歩としたい目論見があったが、列強公使たちが応じなかったので、この時は挫折した。周知のように、治外法権撤廃は一八九九(明治三二)年を待たねばならなかった。同年に「海港検疫法」も成立し、ようやく列強公使たちの意向を逐一確認することなく外国船への検疫が施行できるようになった。

不平等条約改正に応じなかった列強の態度は、日本を見下すものだったといわざるをえない。外交史家たちも、検疫適用に反対する列強公使たちの主張を、高圧的態度を象徴的に示すものとして論難してきた。ただし、こうした幕末以来の日本と列強との外交関係一般の文脈を一旦措いて、検疫のあり方の問題に焦点を絞ると、まだ考えるべき余地が残っている。

3　ヨーロッパにおける検疫の展開

そもそも検疫は中世ヨーロッパ発祥といわれる。中央アジア方面から伝播したと思われるペストが、一三四七年以降、ヨーロッパのほぼ全域に拡散した。一三五〇年代初頭まで続いたこの大流行(黒死病ともよばれる)で、ヨーロッパの人口の少なくとも三分の一が死亡したという。その後もペストはたびたびヨーロッパ各地を襲った。一三七七年、アドリア海沿岸のラグサ(現クロアチア領ドゥブロヴニク)の港では、流行地から来た船舶を三〇日間留め置く措置がとられ、さらに一三八三年にはマルセイユがそれを四〇日間に延長した。他の海港都市もこれに追随し、実際には場所やその都度ごとに停船期間はまちまちだったが、イタリア語で四〇を意味する語から派生した quarantine が、検疫を指す語として使われるようになった。一五世紀になると、ヴェネツィアをはじめ地中海の主要港では、乗船者が停船期間を過ごす隔離滞在施設や積荷の一時保管倉庫などを備えた常設の検疫所が整備されるようになった。

近世ヨーロッパでは、国際交易を阻害する検疫は商人たちにとって不満の対象だった。しかし、もし国内でペストが発生してしまえば、その国の社会経済、ひいては商人たちの活動にも影響が出ることになり、当局としても時には厳格な停船検疫の施行を余儀なくされた。一七二〇年代以降、東欧やイスラム世界ではペスト流行が続いた一方、西欧では流行はみられなくなった。ペスト伝播の遮断に、検疫が一定の効果を発揮したという説もある。

今日に比べて情報通信や医学的知識が限定的だった当時、どこをペスト流行地と認定し、どこから来た船にどの程度の期間の停船検疫を課すかの判断は難しかった。そのため、しばしば恣意的で過剰ともとれる検疫措置が横行し、それが国際的緊張を招くこともあった。重商主義政策のもと、各国が覇権を争ったこの時代、軍事、保護関税などに加え、検疫も諸国間の対立の論点になっていたのである。

商業関係者のみならず、人道主義的立場からの検疫への批判も出るようになった。ペストに罹患していない人にまで、長ければ数週間も検疫所の隔離施設での不自由を強制するのは非人道的ではないかという主張である。医者たちも検疫支持者ばかりではなかったこともあり、一八世紀後半の西欧では、流行地から来た船に一律で長期間の停船隔離を課す検疫への懐疑論も目立つようになっていた。

一九世紀前半、蒸気船や鉄道の導入で人やモノの移動の迅速化・頻繁化・大量化がさらに進み、感染症の伝播リスクも上がる中で、実際にコレラがパンデミック化した。コレラは、ペストに準じて致死率(罹患者数に対する死亡数の比率)が高く、病勢も激烈な急性感染症だった。西欧では一八三一年に最初の大流行が起き、各国はこれを停船検疫対象とした。その一方、一九世紀中頃になると、検疫以外の対策、すなわち国内の衛生環境の改善によって防疫をはかる動きも、いくつかの国で本格化した。

自由貿易への志向性から、検疫への忌避感が特に強かったイギリスでは、上下水道の整備などをつうじた都市衛生環境改革が重視され、その一方、患者が発生していない船にまで一律に長期間の停船を課す従来の検疫方法に代わる手続きが模索された。一八七二年、イギリスでは新たに港湾衛生当局が設置され、その医官が「医師検分《メディカル・インスペクション》」を行うことにより、停船隔離の必要性を判断するという手続きが導入された。コレラについては、一律停船ではなく、医師の判断で不必要とみられる長期間の停船を減らすことがめざされたのである。

ロベルト・コッホによるコレラ菌発見(一八八三年)以前の当時、まだ細菌学的な検査・診断はできなかったが、症例にもとづく診断術や、疫病の流行様態を研究する疫学には蓄積があったし、電信技術の発達により、流行発生についてより精度の高い情報収集が可能となっていたことが、医師検分という方法に一定の合理性を与えていた。このイギリスの方法の是非は、検疫の国際標準策定を協議する国際衛生会議(第四回会議、一八七四年)でも議論され、他のヨーロッパ諸国からも一定の支持を集めていた。ただしフランスをはじめ、一律停船を擁護する国もまだあり、一八七〇年代においては医師検分方式が国際標準として合意されていたとまではいえないが、徐々に普及しつつある方法ではあった。

このように、検疫のあり方をめぐってヨーロッパでは経験と議論が蓄積されていた一方、日本では一八七〇年代末にようやく導入が始まったわけである。ただし、これを日本の「後進性」に帰してよいかどうかは一考を要する。ヨーロッパで検疫が発達したのはペスト流行があったからだが、日本はペストの襲来を免れていた。つまり感染症の流行状況の違いから、検疫を導入する契機がなかったともいえる。もちろん中世から近世の日本でも、天然痘、麻疹、感染性下痢症など深刻な急性感染症流行は起きていたが、致死率はペストほど高くはなく、その多くは土着化《エンデミック》した病気だったと考えられる。

徳川時代においては、一六三〇年代以降のいわゆる「鎖国」が、感染症の海外からの伝播を抑制していた可能性もある。「鎖国」といっても、長崎、対馬、薩摩、松前などは限定的ながら対外的に開かれており、伝播リスクがなかったわけではない。現にまだ「鎖国」下の一八二二年にコレラは伝播していた。対馬か長崎を介した伝播だった可能性が高い。ただ外国からの来航制限は、伝播リスクを下げていたとはいえるだろう。「鎖国」体制にあったがゆえに、別途海港検疫を導入する動機がなかったともいえる。

そして次のコレラ大流行は「開国」後の一八五八年で、長崎奉行は米国艦船ミシシッピー号がコレラを持ち込んだと報告している。幕府内でも検疫導入の検討は始まっていたが、不平等条約や明治維新前後の混乱があり、その具体化は一八七〇年代末のコレラ再伝播を待たねばならなかったことは上述のとおりである。

4　検疫の問題性

ヨーロッパにおける検疫の動向をふまえて、あらためて一八七九年七月を振り返ってみよう。一連の日本の検疫規則では、コレラ流行地から来航した船舶には一律に一〇日間（途中、列強に譲歩して七日間に短縮）の停船が規定されていた。たとえ航海中にコレラ患者が発生していなくても、その期間は乗船者全員を隔離するというものだった。他方、ヘスペリア号事件に際して、ドイツ公使は医師を長浦消毒所に派遣し、コレラ患者がいないことを確認してから、横浜への入港強行に踏み切った。

つまり日本が従来型の検疫を施行しようとしたのに対し、ドイツは医師検分方式にもとづいていたわけである。イギリス公使が寺島外務卿に表明していた「独自の基準」も、この医師検分方式のことだった。独英両国の検疫規則無視が外交上横暴だったとしても、防疫の必要性を無視していたとまではいえない。どのような検疫のやり方を採用するかをめぐる認識の違いがそこにはあったのである。

医師検分方式は、長期停船の数を減らせるという意味では一律停船よりも簡便とみることもできるが、医師をはじめ防疫職員を船舶に派遣し厳密な査察を行わなければならないことを考えると、行政当局の負担や責務はけっして小さいものではなかった。近代的な衛生行政の部局が発足して間もなく、西洋医学を修めた医師の数もまだ少なかった状況下では、日本が医師検分方式の態勢を自前ですぐに整えるのは難しかった。加えて、イギリスでは国内の衛生環境改革の進展が医師検分方式の導入の前提となっていたが、当時の日本では近代的な上下水道も未整備で、国内の防疫態勢も整っているとはいえず、コレラが侵入すれば大流行するリスクは高いと考えられた。現に西日本では一八七九年七月時点でコレラは大流行の様相を呈していたが、東京周辺への伝播を少しでも抑制するためには、横浜での水際対策を徹底するしかないという判断が、医師検分方式ではなく従来型の一律停船方式を日本政府に選択させた理由として考えられる。

結局、その後東日本にもコレラ流行は広がり、水際対策の意味が薄れたため、政府は八月七日に「検疫停船規則」の適用を停止せざるをえなかった。一八七九年の日本全国のコレラ罹患報告数は一六万、死亡数は一〇万を超え、史上最大級のコレラ流行となってしまった。これは、横浜港での外国船の停船検疫ができなかったからだとはいえない。外国船へも医師検分は実施されたわけだし、また伝播経路は横浜港経由だけではなかった。当時まだ西日本と東日本を結ぶ鉄道は開通していなかったが、陸路に加え、国内各地を結ぶ諸々の沿岸航路が伝播経路となった可能性は高い。

イギリス船への検疫規則の適用はできなかったが、適用を受けたイギリス人はいたようだ。上海・神戸を経て横浜に到着予定だった三菱会社(のちの日本郵船)が運航する玄海丸には、イギリス人を含む数人の外国人客が乗っていた。船内でコレラは発生していなかったが、同船は日本の規則に従った。停船検疫中、乗客は長浦消毒所内の隔離施設に移され、そこで過ごしていたと思われる。検疫下におかれたイギリス人客から、日本側の対応は不手際が多く、自分たちは不当な扱いを受けているとする苦情の書信が送られてきたことを、パークス公使が明かしている。もちろん、これだけでは実際に乗客たちがどのような処遇を受けたのか詳しくはわからないが、個人に不自由を強制するものであるという検疫の問題性を想起させる苦情ではある。一律停船方式は、特にその弊害が大きいものだった。

検疫をはじめとする防疫活動は、公共の衛生、すなわち大多数の人々を感染から保護することを名目に行われるが、そのために不利益を被る人々が出てしまうことが多くの場合不可避である。そうした個人の不利益にもどれくらい配慮しつつ防疫の実効性を上げることができるか。一八七九年七月の横浜港での検疫をめぐる一連の出来事は、それを明治日本に課題として突き付けるものでもあった。

当時の日本国内に目を転じると、そうした配慮が不足していたことに由来するトラブルが実際に頻発していた。たとえば、感染予防のため生鮮食品の販売が一律に禁止されたところもあったが、それによる商売上の損失や食料不足に補償がなされたわけではなかった。また、感染者および感染疑義者は強制的に「避病院」に隔離されたが、急拵えの設備は粗末でケアが充分ではないところも多く、人々の不安や恐怖を増幅させた。一八七九年には、人々の日常生活を阻害する防疫対策への疑惑や不満から、その初動を担っていた巡査や医師たちを襲撃するような、「コレラ騒動」とよばれる事態も各地で起きていたのである。

食品への注意や隔離措置それ自体は、コレラ対策として必ずしも間違っていたとはいえない。しかし対策の徹底を急ぐため、強権的にことを進めようとしたことが、こうした帰結の大きな要因だったと考えられる。ただ、これは単に明治政府の強権性に帰せば済むことではなく、防疫活動本来の難しさも示しているように思われる。防疫措置に付随する被害を最小限にとどめるべく対策の精度を上げ、その意味を人々に説明し理解を得たり、さらには被害者の処遇に配慮したりするためには、人員面・施設面も含めて、それ相応の準備や臨機応変な対応力が必要となる。一八七九年の日本はそれが不充分なままコレラ襲来をむかえたわけだが、そうした事態は、いつの時代、どんな社会であっても直面しうることである。

おわりに――歴史的な展望

二〇二〇年のDP号検疫も念頭におきつつ、一八七九年の横浜港での検疫導入を振り返ってきた。この約一四〇年の間に日本でも検疫制度は確立し、全国の主要な海港や空港の検疫所では、行政職のほか、医師、看護師、食品衛生監視員といった職種の人たちが、渡航者の健康チェックに加え、さまざまな輸入品の検疫業務にあたるようになった。交通手段の発達により人流・物流は圧倒的に増加・迅速化したが、かつてのコレラやペストのような致死率の高い急性感染症のパンデミックが日本に襲来し大きな被害を出すことは長らく途絶えていた。全死因に占める感染症による死亡の割合は、特に二〇世紀後半、めざましく減少した。減少の要因は病気ごとに異なるが、概括的には、衛生環境の改善、生活水準の向上、医学・医療の発達などとともに、検疫を含む防疫体制の整備も寄与したと考えられる。

しかし、近年のグローバル化のさらなる進展により、ひとたび世界のどこかで感染症流行が発生した場合の潜在的な伝播リスクは上がっていた。実際にＳＡＲＳ（二〇〇三年）、新型インフルエンザ(二〇〇九年)、MERS(二〇一二年)、エボラ出血熱(二〇一四年)、デング熱(同)など、日本への伝播も危惧された急性感染症の広域流行が発生したが、いずれも日本国内での流行拡大にはつながらなかった。感染症襲来への危惧は一時的には高まり、政府内でもサーヴェイランス(流行状況の監視)強化への動きがなかったわけではない。しかし予算や人員の増強には限界があり、政策論議の場でも大きな焦点になったとはいえないまま、二〇二〇年のコロナ感染症の流行に直面した。

コレラ菌の存在が未知だった一八七九年とは違い、新型コロナウイルスはすぐに同定されたが、感染力、毒性の強弱、感染経路など疫学的特徴については、DP号の検疫開始時にはまだわからないことも多かった。横浜入港後の「医師検分」では、ウイルスの有無を検出するPCR検査など、一八七九年に比べはるかに精度の高い診断術が利用可能ではあった。しかし検査実施のキャパシティは限定的で、乗船者全員にはすぐに適用できず、症状が深刻とみなされた患者から順次実施された。近隣地域の隔離病床数は限られていたため、感染判明者やその他医療が必要とされる患者の船外への搬送には困難も多かった。それ以外の乗船者も、感染しているかもしれないという不安を抱きつつ狭い船室で過ごすことを余儀なくされた。船内で適切な隔離措置がなされていないのではないかという批判も出たが、日本政府はこれを否定している。こうした懐疑のなか、自国民をDP号から退避させるため、チャーター機を派遣する各国政府の動きも相次いだ。

国内への感染症侵入を防ぐという公益を名分とする検疫と、それによる個人の不利益にも配慮することとの両立が、現代においても、というより、「人権」や「自由」、あるいは「医療へのアクセス」などが、少なくとも建前上は保障されるようになった現代であるからこそ、なお難しい課題であることを、横浜港でのＤＰ号をめぐる出来事はわれわれに知らしめた。

一八七〇年代末にはまだ不備の目立った日本の防疫行政は、紆余曲折ありながらも、コレラ大流行を契機に整備が進んだことはたしかである。そして二〇二〇年代の現在、コロナ感染症流行が、防疫体制、さらには平時からの保健・医療を含めた社会保障をどうするかについての議論が深化する契機になるかどうかは、われわれ自身にかかっている。

水・食物などを介して感染する細菌性のコレラと、おもに飛沫感染によって拡散するウイルス性のコロナ感染症とでは病気の性質は異なり、必要な対策も同じではない。かつてのコレラほど致死率は高くないが、その代わり感染力が強く、しばしば変異を繰り返す新型コロナウイルスは、備えるには厄介な対象ではある。また、コレラやコロナ感染症のように急激で派手な流行様態をとる急性感染症以外にも、たとえば結核、ハンセン病、ＨＩＶ／エイズなどのように、病勢は相対的に緩やかだが深刻な影響を及ぼしうる慢性感染症もあり、一口に感染症といっても、いろいろな病気の様態があることには留意が必要である。

われわれの身体や社会に与える影響を考えれば、感染症流行はけっして狭義の感染症学ないし医学だけの問題ではなく、さまざまな視角から考察されるべき余地は大きい。人間と感染症との関係の歴史は長い。現在との共通点や相違点を探りつつ、過去の経験を参照することは、間違いなく重要な視角の一つであるはずである。

参考文献

飯島渉「ダイヤモンド・プリンセス号事件の顚末(連載・私のコロナ史/第3回)」岩波新書編集部ウェブサイト「B面の岩波新書」二〇二一年四月(https://www.iwanamishinsho80.com/post/covidandme03　二〇二二年二月閲覧)。

市川智生「水際作戦の歴史――明治日本の海港検疫」秋道智彌・角南篤編『海とヒトの関係学4　疫病と海』西日本出版社、二〇二〇年。

井上清『条約改正――明治の民族問題』岩波新書、一九五五年。

今井庄次「ヘスペリア号事件について――検疫規則実施始末」『歴史教育』一二巻一号、一九六四年。

内海孝『感染症の近代史』(日本史リブレット)山川出版社、二〇一六年。

奥武則『感染症と民衆――明治日本のコレラ体験』平凡社新書、二〇二〇年。

厚生労働省「ダイヤモンド・プリンセス号現地対策本部報告書」二〇二〇年五月一日。

厚生労働省横浜検疫所「横浜検疫所検疫史アーカイブ」(https://www.forth.go.jp/keneki/yokohama/museum/index.html　二〇二二年二月閲覧)。

国立感染症研究所「ダイヤモンド・プリンセス号新型コロナウイルス感染症事例における事例発生初期の疫学」『病原微生物検出情報(IASR)』四一巻七号、二〇二〇年七月。

Nagashima, Takeshi, "Meiji Japan's encounter with the English system for the prevention of infectious disease", *The East Asian Journal of British History*, 5, 2016.

永島剛「疫病と公衆衛生の歴史――西欧と日本」秋田茂・脇村孝平責任編集『人口と健康の世界史』ミネルヴァ書房、二〇二〇年。

――「感染症・検疫・国際社会」小川幸司責任編集『岩波講座世界歴史11　構造化される世界』岩波書店、近刊。

山本俊一『日本コレラ史』東京大学出版会、一九八二年。

脇村孝平「疫病の地政学――19世紀のコレラパンデミックと検疫問題」『アジア研究』六七巻四号、二〇二一年。

＊本稿は二〇二一年度専修大学国内研究員の研究成果の一部である。

第11章

「ポスト真実」の魔術を超えて

――「考える人」を取り戻す

南塚信吾

はじめに――「操作」されている人間

序章で触れたように、二〇一六年ごろを境に「ポスト真実」という考えが広がり、「フェイクニュース」が公然とあふれるようになった。二〇二二年二月に始まるロシアのウクライナ侵攻に際しては、「ウクライナはネオナチに支配されている」など数限りのない「フェイクニュース」にわれわれは踊らされている。二〇一九年末からの新型コロナウイルスのパンデミックの最中にも、われわれは「トイレットペーパーの多くは中国で生産され輸出されているため、新型コロナウイルスの影響で輸入が止まってこれから不足する」といったさまざまな偽情報に翻弄されている。

今日、われわれは、ソーシャル・ネットワーク・サービス(SNS)や、テレビや、世論調査や、宣伝・広告などによって情報を与えられ、それに影響されて動いている。その情報を通じて、われわれは、政府によって、政党によって、グローバル大企業によって、自治体によって、あるいは匿名の人物によって、われわれの意識や考え方を「操作」されている。われわれ自らが種々の情報を集めて自ら考え、自分や社会の行くべき方向を見出し、自ら主張をすることは少なくなった。一言でいえば、われわれは、自分で「考える」ということをしなくなった人間のようである。

この状態を「問題」ではないと考える人もいるであろうが、多くの人は、われわれが未来に向かって進んでいくためには、これは「問題」だと考えるであろう。もしそうであれば、われわれはいつから「考える人」でなくなったのか、なぜそうなったのか、その前はどうだったのかを知る必要がある。過去を吟味することからしか未来に向けた解決の道を探すことはできない。つまり未来のためには歴史的に考えることが必要なのである。まずは、現状をよく検討してみよう。

1 デジタル・ポピュリズム

今日、われわれはデジタルテクノロジーによって「操作」されているが、その状況がもつ危険性は「デジタル・ポピュリズム」という概念を使って訴えられている（福田『デジタル・ポピュリズム』）。福田直子によれば、今日、デジタルテクノロジーは医療、警備、犯罪捜査、広告、マーケティング、金融界に大きな変化をもたらし、選挙キャンペーンや国民投票への関与など、民主主義の根本をゆるがしかねないまでに影響を及ぼすようになった。その理由は、ビッグデータが利用されるからである。SNSなどを使う個人のデジタル上の活動はビッグデータに収められ、いつどのように利用されているかわからない状況にある。今日、世界中で個人データの四三％がソーシャルメディアから抽出されているといわれる（福田『デジタル・ポピュリズム』九、一〇、二〇頁）。このデータがAIや

Botによって利用されているのである。

もう少しわれわれを「操作」する側の例を見てみよう。主な例として以下のものをあげることができる。

①ビッグデータが最も利用されているのが選挙戦であり、ビッグデータを使った選挙広告キャンペーンが行われる。

②国際的な舞台ではサイバー戦争がくり広げられていて、政府がハッキングをしたり「フェイクニュース」を流したりしている。ロシアのウクライナ侵攻を見ればよくわかる。

③ジャーナリズムも「ネットジャーナリズム」という状態にある。従来のジャーナリズムでは、取材、事実のチェックと裏付け、校正など時間と手間をかけていたが、ネットニュースは事実を検証しない場合が多く、取材の裏付けのない、偏ったニュースを容易に流せる。またソーシャルメディアはだれでも「フェイクニュース」を早く大量に「本物に見える」ように拡散できる。(福田『デジタル・ポピュリズム』五一、五五、一〇六—一〇九、一四四、一四九頁)

一方、情報を受け取るわれわれの側はどういう状況にあるのだろうか。

一つ目の重要な状況は、「フィルターバブル」である。AIやBotは、ユーザーの過去のネット行動を調べて、「ユーザーが読みたい」ニュースフィールドを提供するため、ユーザーは自分の好みのニュースサイトばかりを読む。興味のない反対の視点を持つニュースは表示されない。ソーシャルメディアによって、似たような意見を持つ人々が、同じ主張をお互いに繰り返していくうちに、さらに自分たちの意見や偏見を強めていく。

二つ目は、いわゆる「エコーチェンバー（反響室）」の現象である。ソーシャルメディアに慣れ親しんで育った若者は、デジタルメディアの発する情報に無警戒である。情報源を確認し、その内容が本当かどうかを調べようともしない。情報の受け手は、同じような意見を持つ人たちとだけネット上で話すようになり、話していることが正しいと信じるようになる（笹原『フェイクニュースを科学する』八二、九九頁）。

その他、「ラウドマイノリティ」と言われる現象もある。ソーシャルメディアでは匿名での発信が容易だから、発信を繰り返したり、声高に派手な方法で発信したりすると、マイノリティの意見でも、多数意見のように見えてしまう（福田『デジタル・ポピュリズム』九八、一一七、一三四―一三五、二〇三頁）。

このように、デジタルテクノロジーを通じて、「フェイクニュース」や「ポスト真実」の言説が人々に容易に受け入れられ、広がる余地が生まれている。この結果、自分で考えないで、情報に「操作」される受け身の人間が普通になる。そして背後には「操作」する人間存在が潜んでいる。これが現在のわれわれなのである。

2　「ポスト真実」の魔術

「自分で考えない、受け身の人間」、「操作」される人間を最も有効に動かすのが、「ポスト真実」である。いわば、デジタル・ポピュリズムの基本的な武器が「ポスト真実」なのである。では、「ポスト真実」というものは、どのような事態を言っているのであろうか。

序章で述べたように、オックスフォード英語辞典は、「二〇一六年のことば」として「ポスト真実 post-truth」を選び、それを「公論を形成するにあたって、客観的な事実(fact)よりも、感情や個人的信条に訴えることのほうが、影響力の強い状況」であると定義した(https://languages.oup.com/word-of-the-year/2016/)。なお、「ポスト真実」の議論においては、「事実」と「真実」は区別せずに使われていると言ってよいであろう。

さて、右の「状況」をいくつかの要素に分けて考えてみると、

①「嘘」と「事実」「真実」とを区別できない人々が広く存在すること。
②話し手や書き手が、「事実」や「真実」を確定することなく、いかにも「事実」「真実」であるかのように、感情的・信条的に訴えかけること。
③話し手や書き手が、②のようにすることで自分に有利になると考えていること。
④説得力ある口調や書き方で、感情的・信条的に訴えかけ、それが受け入れられること。
⑤それが繰り返されるうちに、いつしか世間一般の人々の意見(世論)や公平で偏らない議論(正論)であるかのように既成事実化(公論の形成)されること、などである。

その結果、往々にして、受け入れがたい「事実」や「真実」よりも、個人の信念や感情に合う虚偽が選択されることになる。だから、実は、われわれは「事実」や「真実」ではない「半分だけの真実」や「事実ではないもの」に取り囲まれて生きているのである。ここに「フェイクニュース」が生まれるのである。なんとも気持ちのいい「魔術」ではないだろうか。

3　いつから、なぜそうなったのか

このような「魔術」を働かす「ポスト真実」はいつから、なぜ生まれ、広まったのだろうか。これは難しい問題である。

リー・マッキンタイアによれば、「ポスト真実」を生み出した要因には、科学の否定、認知バイアス、「ポストモダン」、そして伝統的メディアの凋落とソーシャルメディアの台頭があるという。科学の否定というのは、科学の成果が「その結果にたまたま同意しない多数の非専門家により公然と疑問視されている」事態をさし、例えば、地球温暖化についての議論に見られる。人類の活動が地球温暖化をもたらしているという科学的な主張に対し、エネルギー産業などから支援された「研究所」が、それは「確定した科学」ではないといった懐疑論を持ち出す例である。認知バイアスというのは、人間には「真実であってほしいという思いが、実際の真実の認識に影響を及ぼす」という認識上のバイアスがあることである。その一例は、「特定の思想を支持する人々が自分たちの政治的に都合の良いある信念が間違っているというエビデンスを示されると、そのエビデンスを拒絶し、自分たちの誤った信念を「倍増させる」」というものである。こういう認知バイアスが現代では以前より顕著になってきているというわけである（マッキンタイア『ポストトゥルース』第二、三章）。「ポストモダン」とメディアについては、以下でもう少しゆっくり考えてみよう。

ポストモダン

「ポスト真実」の考えは「ポストモダン」の考えに触発されて出てきていると言ってよい。マッキンタイアは、「ポストモダニズム」は多少なりとも「ポスト真実」の先駆者(創始者)であるという(マッキンタイア『ポストトゥルース』第六章)。

その「ポストモダン」は、哲学者ジャン＝フランソワ・リオタール『ポスト・モダンの条件』(一九七九年)に始まり、一九八〇年代に広がった思想運動である。「近代」のさまざまな思考様式を問い直す動きとして始まった「ポストモダン」は、理性の広がりによってもたらされるという「大きな物語」や「進歩」といった近代の合理主義の考えを批判した。それは、哲学、文化、芸術、建築など多岐にわたる分野で展開されたのである。「ポストモダン」については序章でも歴史との関係で簡単に触れたが、ここではもう少し広げて考えておこう。

「ポストモダン」の理論的柱の一つは「言語論的転回」である。一九六〇年代から提唱された「言語論的転回」(この言葉は一九八〇年代に広まった)は、さまざまな分野に影響を与えた。「言語論的転回」は、一九六〇年代に、F・ソシュールの『一般言語学講義』(一九一六年)が再評価されたところから始まる。ソシュールは、「言語」は意味を伝える手段ではないという。言語は他の言語との関係でのみ意味を持つのであり、現実を伝えるのではなく、言語それ自体が現実を確定するのだと主張した。これを受けて、ジャック・デリダらは、現実と「テクスト」との関係を完全に断ち切った。ジャック・デリダ『グラマトロジーについて』(一九六七年)によれば、言語的構造によって作られるテクストは外部の人間世界とは関係がない。テクストは現実を表さないから、真実とフィクシヨンの違いはない。テクストは外部世界から独立しているだけでなく、その作者自身からも独立していると主張した。また、ミシェル・フーコー『知の考古学』(一九六九年)は、「言説」(言葉による表現)を重視し、人間、国家、社会、経済、身体、性などは、いずれも客観的現実などではなく、言語によって作られた言説なのであり、この言説こそ現実なのだと言った(ウィルソン『歴史学の未来へ』二五一―二五三頁)。

この「言語論的転回」は一九八〇年代には、社会科学・人文科学だけでなく、自然科学に対しても大きな疑問を投げかけ、ついには学界を越えて、一般社会においても、事実なんかどうでもいい、言語や言説やイメージが重要だという考えを広めることになった。事実や真実について「考える」必要がなくなったかのようである。ここまで来れば、「ポスト真実」、そして「フェイクニュース」までもうすぐである。

情報革命

以上のような「ポストモダン」から来る「脱事実」の傾向を推し進めたのが情報メディアの変化と情報革命であった。マッキンタイアの指摘によれば、一九八〇年代以前のニュースの「黄金時代」には、新聞やテレビ等の既存のメディアは、真実を伝えることをニュース報道の使命としていて、お金をかせぐことは期待されていなかった。だが八〇年代以後は、特定の党派に偏ったニュース報道に期待する市場に迎合する形で、メディアは正確なニュース報道を伝えることに尽力しなくなった。そして「偏った意見を土台にした、ときに編集されることさえない内容が、ますますポピユラリティを獲得」するようになった。こうして、メディアの報道が事実を伝えなくなったのだという(マッキンタイア『ポストトゥルース』第四章)。このような既存メディアの変化は、ソーシャルメディアの台頭によって、さらに促進された。

一九八〇年代にアップルやマイクロソフトによりパーソナル・コンピューター(PC)が開発され、二一世紀に入るとネットワークに用いられた。Google(一九九八年設立)、Facebook(二〇〇四年設立)、Twitter(二〇〇六年開始)、LINE(二〇一一年開始)などが、急速に普及した。そして、SNSの利用が広がったが、それは情報や意見の発信者を匿名化した。「匿名性」の拡大によって、SNSは「社会とは一定の距離を置く」「刹那的に生きる」という若者のニーズに合致した。そこでは、発信される情報が、誰かが責任を持ってその事実性・信憑性《しんぴょうせい》を保証する必要がないという意味で、社会や現実との接点を失ったのである。加えて、二〇一〇年代からAIの台頭によって、さらに情報環境は変化した。それは、本章の第1節で「デジタル・ポピュリズム」の広がりとして論じたとおりである。ビッグデータがAIやBotによって利用され、情報を駆使して人間が操作されているのである。情報革命はたんなる情報伝達手段の革命ということにとどまらないわけである。

このような情報革命は「ポストモダン」の成果の上に、さらにそれを発展させ、真実を伝えることはどうでもいいことであるというイメージを広めたわけである。そうすると、もとに戻って、「ポストモダン」は、どういう歴史過程を経て生まれてきたのかを考えざるを得なくなる。「ポストモダン」が否定した「近代」において、事実を人間が認識するということは、どのように理解されてきたのだろうか。

4　人間の認識能力の追究の歴史

われわれ人間は、近代において、自分自身と社会を認識しようとしてきたが、はたしてどのように認識しようとしてきたのだろうか。それには長い歴史がある。そういう歴史を振り返ることが必要だという問題意識は、近年、哲学史においても共有されているようである。

議論を簡単にするために、《なぜこれが「三角形」に見えるのか》という問いに、人間はどのように答えてきたのかを、一七世紀までさかのぼって、追いかけてみよう。ここは哲学史を論じる場ではないので、やや図式的になることをお断りしておきたい。

一七世紀

デカルト(一五九六―一六五〇)からスタートしていいだろう。「私は考える、ゆえに私はある」と人間の思考と認識の重要性を主張したデカルトは、人間の思惟のもとになるのは観念であるとし、観念には生得観念、外来観念、人為観念を区別した。そして、生得観念は神によって人間に植え付けられたもので、これが客観的実在に対応する観念であるという。これが「真理の種子」なのであった(『世界の名著　デカルト』三二、一八八、二五八頁)。デカルトによれば、われわれの心には「三角形」を認識するための「生得観念」があって、それが生かされることによって、「三角形」を認識するということになる。

ロック(一六三二—一七〇四)は、デカルトの生得観念を否定して、「心は白紙。観念はすべて経験から」という。つまり、外には不動の実体があって、人は「経験」(つまり感覚と内省)を通してそれについての観念(つまり知識)を作り出すと考える(『世界の名著　ロック　ヒューム』八一—八四頁)。だから、われわれの白紙の心に「三角形」を見る「経験」が積み重ねられて、「三角形」を認識するようになると考えるわけである。

一八世紀

ヒューム(一七一一—一七七六)も生得観念を否定するが、ロックと違って、外に不動の存在があるとは考えない。また、「経験」(感覚と内省)ではなく、「印象」に基づいて「観念」が作られるという。「外的事物は、それが引き起こす知覚によってのみわれわれに知られる」のであり、「心という狭い限界内に現れた知覚以外には、いかなる種類の存在も思いいだくことはできない」(『世界の名著　ロック　ヒューム』四二六頁)という。したがって、外に「三角形」自体があるのではなく、「三角形」についての印象が観念に焼き付けられ、それが想起されることによって「三角形」を認識するのだということになる。外的存在を認めないという考えは、のちに「ポストモダン」に受け継がれる。

カント(一七二四—一八〇四)は、外的存在を認めた上で、認識の仕方をさらに突き詰めた。かれは、われわれは外的世界をわれわれに現れるとおりに「感性」によって受け止め、ついでそれを「悟性」によってまとめ上げ、そうしてさらに「理性」によって対象を総体的に認識するのだという。その外的世界は「物自体」であるが、「物自体」は認識することはできない。われわれは、「物自体」がわれわれの「感性」に受け止められるかぎりでしか、不完全にしか、認識できないのだという。したがって、「三角形」自体があるとしても、それは人間に可能なかぎりで「感性」によって受け止められ、それが「悟性」に受け取られ、さらに「理性」によって「三角形」というものとして認識されるということになる（竹田『完全解読　カント『純粋理性批判』』三〇頁、牧野『カントを読む』五七頁）。

一九世紀前半

ヘーゲル（一七七〇―一八三一）は、論理的なカントの説をさらに観念的に極限まで推し進めた。かれによれば、われわれはまず自分の外にある対象を感覚的にとらえ、ついでそれの諸性質を加味して対象を「もの」として知覚し、さらにその「もの」のもとになる「力」を悟性的に把握するのである。これまでが外の対象を認識する「対象意識」である。だが、この「対象意識」は自分の感覚、知覚、悟性に依存している。「対象は自我がこれについて知るから存在する」のである。ここで「対象意識」は「自己意識」としてとらえられる。対象は自己の外にあるものではなく自己の意識の中にある存在である。「外なるものは内なるものの表現である」という。この「対象意識」と「自己意識」を統一したのが「理性」なのであった。外にある対象と内なる意識との対立関係は意識によって乗り越えられたのだった（竹田・西『完全解読　ヘーゲル『精神現象学』』二八、二九、三四、五二、五七、一〇四頁）。したがって、外にある「三角形」は内にある「三角形」の表現なのである。簡単に言えば、われわれが「三角形」と認識するから「三角形」なのであった。

一九世紀後半

一九世紀の自然科学の発達を受けて、一八七〇年代から登場してきた新カント派によれば、認識される対象は、それを構成する「主観」によって存在するのであった。認識は現実をあるがままにとらえるのではなく、科学の認識目的から見て重要な要素だけを現実の中から選択してとらえるのだという(生松ほか編『概念と歴史がわかる 西洋哲学小事典』四六一―四六四頁)。新カント派の観念論の考え方によると、「三角形がまず存在し、われわれがそれを見ている」のではなく、「われわれが三角形を意味があると見ているからこそ、その三角形は存在する」ということになる(青山『分析哲学講義』一四―一六頁)。

これに対し、一八八〇年、エンゲルスが、『空想から科学への社会主義の発展』において、「事物とその思想上の模写である概念」や「事物とその概念による模写」(エンゲルス「空想から科学への社会主義の発展」二〇〇、二〇一頁)という表現によって、客観的現実なるものが確固として存在し、認識は外界にある実在を脳が忠実に反映・模写したものであるという認識論を示した。これは実在するものを重視し、観念を二次的なものとする唯物論の立場からの認識論であった。そして、感覚を媒介して外界の刺激が意識に転化し、これが歴史における実践を通して検証されるのだと説いた。つまり、「三角形」という実体が存在して、それからの刺激を脳が「模写」として受け取るというのである。これは新カント派への批判でもあった。

だが、一八八〇年代末に登場したエルンスト・マッハは、実体を離れていっそう心理的に議論を展開した。マッハによると、われわれの「世界」は、色、音、圧力、空間、時間(普通にわれわれが感覚と呼んでいるもの)から成り立っているのであって、われわれが「物体」と呼んだり「自我」と呼んだりするのは、それらの感覚的要素から構成された二次的な構成体でしかない。「物体」「自我」などというのは、本当は何ら「実体」などではないというのだった(野家編『哲学の歴史10 危機の時代の哲学』八三五頁、生松ほか編『概念と歴史がわかる 西洋哲学小事典』四七八、四七九頁)。これはかつてのヒュームに通じるものがあった。このマッハ主義によれば、「三角形がまず存在し、われわれがそれを見ている」のではない。三角形という感覚的要素がわれわれのなかで再構成されるだけなのである。

二〇世紀

二〇世紀に入り、エンゲルスによる唯物論からの認識論、つまり「模写」論が広がった。これは、レーニンの『唯物論と経験批判論』(一九〇九年)によって広められ、ロシア革命後、マルクス主義の唯物論的認識論として権威を持っていった。このような認識論が、その後二〇世紀中ごろまで、広く受け入れられていたのである。

だが、二〇世紀の後半、マルクス主義の権威が揺らいで、唯物論の限界が見えてくると、再び認識論が問われることになった。上述したように、ポストモダンは、客観的事実なるものを否定し、事実というのは言語、言説、イメージによって「構築」されたものだと言った。事実とそれを認識する者とが離れているのではなく、オーバーラップしているわけである。われわれが一七世紀から見てきたような、事実と人間によるその認識という二項関係は、一九世紀に入り、しだいに人間による受け止め方のほうに重点が移動してきていたが、ついにこの二項関係は崩れてしまった。「三角形」という実体は存在せず、人間によって「言語」で「構築」された「三角形」という「言説」しか存在しない、というのである。外的存在を認めないという点では、ヒュームにつながる。

5 「ポスト真実」と「フェイクニュース」

　これまでの議論を整理してみよう。今日の「ポスト真実」や「フェイクニュース」は、いったいどうして生まれたのだろうかと問う時、われわれは否応なく過去の歴史に問いかけざるを得なかった。そのように歴史を振り返ったところから分かることは、まず、「事実」や「真実」とその認識という基本問題は、過去数百年にわたり人間が不断に取り組んできた問題だということ、つぎに、この取り組みの歴史の中で人間の認識についての研究が飛躍的に深化し、人間の認識能力について新しい側面が次々と解析されてきたということ、そして、ついには、「ポストモダン」において、客観的な「事実」や「真実」などというものは存在せず、存在するのは人間の側の「言葉」であり「言説」だけであるという考えが生まれてきたことである。これは人間が「事実」や「真実」の認識を突き詰めてきた結果として生じたことである。ある時に突然こういう事態になったのではなく、ある人々が突然こういう状況を作り出したのでもない。まさに歴史の産物なのである。

　このような「ポストモダン」は、ある程度まで「ポスト真実の先駆者」であるとされる。マッキンタイアは、ポストモダンについて、「もちろん、真理の概念と客観性の概念にかんする妥当な疑問を提起することはできる。〔中略〕だが、真理と客観性を完全に否定しそれを軽蔑することは度を越したものだ」という。この「度を越した」ポストモダンから「ポスト真実」「フェイクニュース」までは、ほんの一歩である。だが、この一歩は何らかの理論的な根拠があって起きた一歩ではない。心理的、政治的な状況がもたらした一歩である。まず、ポストモダンによって、真理と客観性が完全に否定され軽蔑されるようになると、「真理」と「真実」は無視しうるものとなり、心理的にそれにこだわる必要のないものとなった。つぎに、「真理」と言われるあらゆる「言説」が人々のイデオロギーの反映であると考えられて、それゆえ「真理」は政治の舞台に乗ることになった。そして政治的イデオロギーのために「真理」を作ればよいとなる。マッキンタイアは、それゆえに、「ポスト真実」は、「右派的イデオロギー」を「合法的な仕方で支援」しているのだと述べている（マッキンタイア『ポストトゥルース』二、一六六頁）。デジタル・ポピュリズムの背後にある人間存在がここに動いているのである。

おわりに

今一度、身近な日常に戻ろう。二〇〇三年、アメリカは、「イラクのサダム・フセイン大統領は大量破壊兵器を持っているから、フセイン政権を潰さなければならない」と言って、イラク戦争を始めた。「言説化された事実」が人を動かしたのである。しかし、まもなくイラクには大量破壊兵器はなかったことが判明した。ロシアのウクライナ侵攻に際しても、ロシアは「ウクライナはネオナチが支配している」と称して開戦した。こういう大きな「フェイクニュース」以外にも、小さな「フェイクニュース」はわれわれの周りにあふれている。まさに「ポスト真実」の魔術が取りついている時代である。われわれの未来はこれをどうするのだろうか。

われわれはこれが一過性のものであるとか、インターネットの技術を駆使すればフェイクニュースはチェックできると考えているかもしれない。しかし、本章で見てきたように、「ポスト真実」「フェイクニュース」は、われわれ人間が外界を認識するとはどういうことかということを考え続けてきた歴史の「ある種の結果」として生まれてきたものなのである。「ポストモダン」は、人間の長い認識論の歴史の中の新しい一場面であったのに対し、「ポスト真実」の考えは、認識論に基づくものではない、イデオロギー的ないしは心理的な産物である。だからこそ、「ポスト真実」は乗り越えておかねばならない。

では、「ポスト真実」の状況を乗り越えるにはどうするか。認識論の歴史を振り返ってみたところからヒントはあるのだろうか。さしあたり、「事実」と言われるものは言説としての「構築された事実」である可能性を自覚しておくこと、多様な言説、多様な構築があり得ることを意識して、一つの言説に取りつかれないようにすること、多様な言説を総合しつつ、言説の背景にあるものを想像する力を養うことが必要であろう。「考える人」をやめてはならないのである。

参考文献

青山拓央『分析哲学講義』ちくま新書、二〇一二年。

生松敬三・木田元・伊東俊太郎・岩田靖夫編『概念と歴史がわかる 西洋哲学小事典』ちくま学芸文庫、二〇一一年。

ウィルソン、N・J『歴史学の未来へ』南塚信吾・木村真監訳、法政大学出版局、二〇一一年。

烏賀陽弘道『フェイクニュースの見分け方』新潮新書、二〇一七年。

エンゲルス、F「空想から科学への社会主義の発展」『マルクス＝エンゲルス全集19』大月書店、一九六八年。

カー、E・H『歴史とはなにか』清水幾太郎訳、岩波新書、一九六二年。

カクタニ、ミチコ『真実の終わり』岡崎玲子訳、集英社、二〇一九年。

木田元・栗原彬・野家啓一・丸山圭三郎編『コンサイス二〇世紀思想事典』三省堂、一九九七年。

笹原和俊『フェイクニュースを科学する』化学同人、二〇一八年。

『世界の名著 デカルト』中央公論社、一九六七年。

『世界の名著 ロック ヒューム』中央公論社、一九六八年。

竹田青嗣『完全解読 カント『純粋理性批判』』講談社選書メチエ、二〇一〇年。

竹田青嗣・西研『完全解読 ヘーゲル『精神現象学』』講談社選書メチエ、二〇〇七年。

野家啓一編『哲学の歴史10 危機の時代の哲学』中央公論新社、二〇〇八年。

福田直子『デジタル・ポピュリズム――操作される世論と民主主義』集英社新書、二〇一八年。

牧野英二『カントを読む――ポストモダニズム以降の批判哲学』岩波書店、二〇〇三年。

マッキンタイア、リー『ポストトゥルース』大橋完太郎監訳、人文書院、二〇二〇年。

リオタール、ジャン＝フランソワ『ポスト・モダンの条件――知・社会・言語ゲーム』小林康夫訳、書肆風の薔薇、一九八六年。

レーニン、V・I「唯物論と経験批判論」『レーニン全集14』大月書店、一九五六年。

＊なお、本章については、哲学者の飯田隆先生のご助言をいただいた。

おわりに
――「今」を見る眼と歴史　ロシアのウクライナ侵攻から考える

木畑洋一

本書の準備中(二〇二二年春)に、ロシアによるウクライナ侵攻が始まった。これはロシア大統領プーチンの考えによって開始され、展開されているといってよいが、そのプーチンが二〇二一年夏に公にした「ロシア人とウクライナ人の歴史的一体性について」という文章が、話題となった(Putin, "On the Historical Unity of Russians and Ukrainians")。そのなかでプーチンは古代からの歴史をたどり、ロシア人とウクライナ人は、宗教をとってみても文化的伝統をとってみても、さらに言語をとってみても、きわめてよく似ており、一体性をもっているとする。そして結論として、ロシアとウクライナの間の「精神的・人間的・文明的な絆は、何世紀にもわたって形作られ、同じ源に発しており、共通した試練や業績、勝利によって鍛えられてきた。我々の間の同胞意識は世代から世代へと受け継がれてきた。〔中略〕我々は一緒になることによって何層倍も強力になり成功をおさめてきたのであり、これからもそうなることであろう。なぜなら、我々は一体だからである」と述べる。

ロシアとウクライナの一体性というこの考え方をめぐっては、ウクライナ侵攻を正当化するものとして、さまざまな批判がなされてきている。その議論はこれからもつづいていくであろうが、このプーチンの演説をめぐって注目すべきは、その前提として彼が、「現在をよりよく理解し、未来を見通すためには、歴史に戻らなければならない」と断言している点であろう。この文言だけをとってみれば、私たちが本書で展開してきた議論と重なる姿勢が見られるということもできる。プーチンは彼なりに「歴史はなぜ必要か」ということを考えているのである。

ウクライナで起こっていることやそれを取り巻く世界の状況という「今」の意味を理解するために歴史に思いを馳せることは、確かに必要である。その点で、ロシアとウクライナの関係を歴史的に検討してみるということが、大きな意味をもつことはいうまでもないが、想起すべき歴史は、もちろんそれだけではない。筆者がすぐ思いつくだけでも、以下のような点をめぐって歴史をたどり、そこから「今」について考えることができる。

ロシアによるウクライナ侵攻をめぐって、筆者がまず重要だと思うことは、それが、戦争は国際的に違法なことであるという考え(戦争の違法化)や、他の国や地域を支配下に置いて植民地化することは許されないとする考え(帝国的支配の否認)に、真っ向から挑戦する行為だという点である(木畑「歴史の針を巻き戻すプーチンの戦争」)。これらの考えは、二〇世紀に人類がたどりついた知恵であると言える。二〇世紀の初めには、戦争は国際紛争解決の手段として当たり前のものと考えられていたし、植民地化や帝国的支配についてもその正当性に疑問をさしはさむ人は少なかった。それが、二つの世界大戦や、民族運動の高揚を背景とする植民地の独立(脱植民地化)を人類が経験するなかで、決して正当なものではないと考えられるようになったのである。ロシアがウクライナとの対立関係の解消をめざして戦争に訴えること、主権国家であるウクライナ(少なくともその一部)を支配下に置こうとすることは、こうした人類の歩みに逆行する行為である。そのことの意味について考えてみるためには、二〇世紀以降における国際関係の歴史をたどってみることが必要である。

ロシアをこのような形で批判してみると、こうした批判の対象となるようなことが近年他にも少なくないことに気づく。許されないはずの戦争をとってみれば、二〇〇三年に始められた米国を中心とするイラク戦争をはじめとして、いくつもの戦争が念頭に浮かんでくる。イラク戦争の場合は、大量破壊兵器をイラクが保有しているということや、フセイン政権が二〇〇一年のいわゆる「同時多発テロ事件」を引き起こした組織アルカーイダと密接に関係しているということを、アメリカは戦争開始の理由として正当化していたが、それは共に誤った主張であった。しかし、こうした主張、とりわけ国際的なテロ組織を壊滅するための戦いとして「対テロ戦争」は戦争違法化後の今日でも許される「正義の戦争」であるとする主張が、かなりの程度、世界でまかり通ってきたことは否めない。このように近年における戦争の状況を歴史的にふり返ってみることによって、ロシアのウクライナ侵攻を独自の孤立した事例として扱ってしまうという陥穽を免れることができる。

本書の執筆者の一人である南塚信吾は、このような近年の他の戦争に言及しつつ、「過去数十年、世界全体では、絶え間なく戦争が起きている。それらの戦争は、多くの場合、新自由主義の拡大過程での戦争である」（南塚「ウクライナ侵攻と新自由主義」七四頁）として、一九七〇年代から世界にひろがっていった新自由主義の流れが作り出した国際的な構造のなかに、それらの戦争やウクライナ侵攻を位置づける試みを行っている。ロシアによるウクライナ侵攻という出来事の「底にあるものを、世界史的な視野で」見るためには、このような形での切り込みが確かに必要となる。

こうして、近年のさまざまな戦争を視野に入れながら、ウクライナ侵攻を見直してみると、他の戦争もそれぞれに世界の注目を集めたものの、今回の戦争への世界の関心がそれらに比べてはるかに高いということに気づかされる。これは、近現代世界において、ヨーロッパが他の地域に比べて優位に立ち、ヨーロッパに関わる問題が他地域の問題よりも大きく扱われてきたという、世界史の広い構図に関わる事態であると考えることができる。ウクライナは、ヨーロッパの東端とされることもあるように、ヨーロッパの国といってよく、アフガニスタンやイラク、シリアといった非ヨーロッパ地域での戦争の場合と比べて、世界での関心のあり方が異なっているのである。

近現代世界史のこのような構図に思いを馳せてみると、そこで人々を差別する大きな要因となっていた人種問題も浮上してくる。その問題は、ウクライナ侵攻で生まれた大量の国外避難民の扱いにつながっている。ポーランドなどの近隣諸国をはじめ、ヨーロッパの国々は、ウクライナからの避難民をすぐに受け入れたが、その姿勢は、アフガニスタンやイラク、シリアなど非ヨーロッパ地域からの非白人避難民に対する厳しい態度とは、大きく異なっていたのである。同じことは、日本の姿勢にも言うことができる。日本はこれまで、各地からの難民受け入れについて高いハードルを設定し、拒絶的態度をとり続けてきたが、ウクライナから逃れてきた人々に対しては、難民とは異なる「避難民」というカテゴリーを設けて、寛容な受け入れ姿勢を示したのである。

戦争のより具体的な様相についても、歴史的に考えることができる。ロシアは、ウクライナの民間施設を意図的に破壊し、一般民衆を無差別に殺害したが、多くの人々が殺戮されたというキーウ(キエフ)近郊の町ブチャのことを聞いて、米軍がベトナム戦争中に民間人の大量殺戮を行ったソンミ村の名前を想起した人は多かったのではないだろうか。ソンミ村の場合は、村民のほぼ全員が殺されたわけで、単純な比較はできないし、ブチャでの虐殺の真相については現時点で分からない点も多いが、ソンミ村がベトナム戦争を象徴する一つの名詞となったように、ブチャはロシアのウクライナ侵攻を象徴する地名として記憶されていくであろう。さらに、時代を遡って、日本軍による南京大虐殺を思い起こしてもよい。ブチャでなされたようなことに、私たち日本人も決して無縁ではないのだと意識した上で、ウクライナ情勢を見直してみることも重要であろう。

さらに、ウクライナ侵攻への国際的対応をめぐっては、ロシアに対する経済制裁の問題も、歴史への思いを誘う。歴史上、経済制裁はいろいろな場合になされてきたが、たとえばよく知られた例として、一九三五年にイタリアがエチオピアの植民地化をめざして戦争(エチオピア戦争)に訴えた際の、国際連盟による制裁をあげることができる。武器・弾薬の禁輸や借款の非供与、イタリア製品の輸入制限などで、イタリアの戦争経済は確かに大きな打撃を受けたが、最も肝心であると目された石油のイタリアへの禁輸は回避された。石油禁輸が行われていたら効果があったかもしれないという推測もなされてきたが、その可否は分からない。ともかく、かなり不完全なこの制裁は不成功に終わり、イタリアはエチオピア征服に成功した。ちなみに、国際連盟に加わっていなかった米国は、交戦両陣営への武器禁輸は行ったものの制裁には参加しなかった。

他にも検討すべき側面はいくつもあるであろうが、以上のような例をとってみただけでも、「今」の問題をより深く考えてみるためには「歴史が必要」であるということが分かるのではないだろうか。対象として検討してきたのは、ウクライナにおける戦争というきわめて大きな歴史的事件であり、私たちの日々の生活におけるさまざまな出来事とは位相が異なる、という考えもあるかもしれない。しかし、どのような問題であれ、その背後には歴史がある。そうした歴史のひだのどこかに注意してみることが、「今」を生きる私たちの足元をより確かなものにしてくれるであろう。

参考文献

木畑洋一「歴史の針を巻き戻すプーチンの戦争」『法と民主主義』五六八号、二〇二二年。

南塚信吾「ウクライナ侵攻と新自由主義」『歴史学研究』一〇二三号、二〇二二年。

Putin, Vladimir, "On the Historical Unity of Russians and Ukrainians", 2021 (http://en.kremlin.ru/events/president/news/66181).

〈編者〉

南塚信吾　1942年生．一般社団法人やまなみ付属世界史研究所所長，千葉大学・法政大学名誉教授．ハンガリー史．『「連動」する世界史――19世紀世界の中の日本』(岩波書店，2018年)など．

小谷汪之　1942年生．東京都立大学名誉教授．インド史．『中島敦の朝鮮と南洋――二つの植民地体験』(岩波書店，2019年)など．

木畑洋一　1946年生．東京大学・成城大学名誉教授．イギリス帝国史，国際関係史．『帝国航路を往く――イギリス植民地と近代日本』(岩波書店，2018年)など．

〈執筆者〉

庵逧由香(あんざこ・ゆか)　1966年生．立命館大学文学部・文学研究科教授．朝鮮近現代史．『軍隊と性暴力――朝鮮半島の20世紀』(共著，現代史料出版，2010年)など．

高橋博子(たかはし・ひろこ)　1969年生．奈良大学文学部教授．アメリカ史．『新訂増補版 封印されたヒロシマ・ナガサキ――米核実験と民間防衛計画』(凱風社，2012年)など．

三宅明正(みやけ・あきまさ)　1953年生．千葉大学名誉教授．近現代日本労働史．『レッド・パージとは何か――日本占領の影』(大月書店，1994年)など．

明田川融(あけたがわ・とおる)　1963年生．法政大学法学部教授．日本政治史．『日米地位協定――その歴史と現在』(みすず書房，2017年)など．

斎藤 修(さいとう・おさむ)　1946年生．一橋大学名誉教授．比較経済史，歴史人口学．『環境の経済史――森林・市場・国家』(岩波書店，2014年)など．

永島 剛(ながしま・たけし)　1968年生．専修大学経済学部教授．医療史，社会経済史．『衛生と近代――ペスト流行にみる東アジアの統治・医療・社会』(共編，法政大学出版局，2017年)など．

歴史はなぜ必要なのか――「脱歴史時代」へのメッセージ

2022年9月27日　第1刷発行

編　者　南塚《みなみづか》 信吾《しんご》　小谷《こたに》汪之《ひろゆき》　木畑《きばた》洋一《よういち》

発行者　坂本政謙

発行所　株式会社 岩波書店
〒101-8002 東京都千代田区一ツ橋 2-5-5
電話案内 03-5210-4000
https://www.iwanami.co.jp/

印刷・三秀舎　製本・牧製本

ISBN 978-4-00-025676-6　　Printed in Japan

シリーズ日本の中の世界史
「連動」する世界史
――19世紀世界の中の日本
南塚信吾
四六判二六八頁
定価二六四〇円

シリーズ日本の中の世界史
中島敦の朝鮮と南洋
――二つの植民地体験
小谷汪之
四六判二四〇頁
定価二六四〇円

シリーズ日本の中の世界史
帝国航路を往く
――イギリス植民地と近代日本
木畑洋一
四六判二四八頁
定価二七五〇円

歴史とは何か 新版
E・H・カー
近藤和彦 訳
四六判四一〇頁
定価二六四〇円

ジェンダー分析で学ぶ
女性史入門
総合女性史学会 編
四六判三三八頁
本体二八六〇円

岩波書店刊
定価は消費税 10% 込です
2022 年 9 月現在